세상과
나
사이

세상과
나
사이

혹인 아버지가 아들에게 보내는 편지

타네하시 코츠 지음 | 오숙은 옮김

일러두기
• 본문에 나오는 인명, 지명 등 고유명사는 국립국어원 외국어표기법에 따라 표기했다.
• 본문의 각주 가운데 따로 표기가 없는 것은 옮긴이주이다. 원서의 주를 그대로 실은 것은
설명 뒤에 〈원주〉를 붙였다.

이 책은 실로 꿰매어 제본하는 정통적인 사철 방식으로 만들어졌습니다.
사철 방식으로 제본된 책은 오랫동안 보관해도 손상되지 않습니다.

믿음을 가져 준 데이비드와 케냐타에게

어느 날 아침 숲속을 거닐다 갑자기 그것과 마주쳤다.

비늘 덮인 떡갈나무와 느릅나무가 파수를 선 풀밭 공터에서 그것과 마주쳤다.

그 현장의 그을린 온갖 것들이 일어서며 세상과 나 사이에 불쑥 끼어들었다…….[*]

리처드 라이트

[*] 시 「세상과 나 사이Between the World and Me」(1935)의 일부. 한 흑인 남자가 숲속을 걷다가 불에 탄 시체가 놓인 린치 현장을 발견하는 순간을 묘사하고 있다. 여기서 〈세상과 나 사이〉는 미국이 제시하는 자유, 평등, 부 같은 이상과 아프리카계 미국인이 처한 현실 사이의 심각한 괴리를 암시한다.

1

소니아 산체스

나한테 순교를 말하지 마세요,
죽어서 어느 교구의 날에 기억될
사람들 얘기는 하지 마세요.
죽음을 믿지는 않지만
그래도 나 역시 죽겠지요.
그리고 제비꽃들은 캐스터네츠처럼
나를 따라 울리겠지요.*

* 시 「맬컴Malcom」의 일부. 산체스는 동료 맬컴 X가 암살당한 뒤 슬픔에
젖어 이 시를 그에게 바쳤다.

아들아,

지난 일요일에 한 인기 뉴스쇼의 진행자가 나에게 내 몸을 잃는다는 게 무슨 뜻인지 묻더구나. 그 진행자는 워싱턴 D. C.에서 방송을 하고 있었고 나는 맨해튼의 서쪽 끝 외딴 스튜디오에 앉아 있었지. 우리 사이에 놓여 있는 먼 거리는 위성이 좁혀 주었지만, 어떤 기계장치도 그 여자 진행자의 세상과 내가 불려 와 말하려는 세상 사이의 거리를 좁혀 주지는 못했다. 그 진행자가 내 몸에 관해 물었을 때, 화면 속 그녀의 얼굴이 사라지고 내가 그 주초에 썼던 짧은 글이 올라왔다.

진행자는 시청자를 위해 그 글을 읽더니, 다 읽고 난 뒤엔 특별한 언급도 없이 좀 전의 내 몸에 관한 주제를 다시 꺼냈다. 하지만 지금 나는 자신이 던지는 질문의 성격을 깨닫지도 못한 채 내 몸이 처한 상황에 관해 묻는 지식인들에게 익숙해져 있단다. 구체적으로 말하면, 그 진행자는 내가 왜 화이트 아메리카의 진보, 아니 더 정확히 말하면 자신이 백인이라고 믿는 그런 미국인들의 진보가 약탈과 폭력 위에 건설되었다고 생각하는지 그 이유를 알고 싶어 했어. 이 질문을 듣다 보니 오래 묵은 희미한 슬픔이 내 안에서 차오르는 게 느껴졌다. 이 질문에 대한 대답은 자신이 백인이라고 믿는 그 사람들의 기록이다. 바로 미국의 역사란다.

이렇게 말하더라도 전혀 극단적인 건 아니다. 미국인들은 민주주의를 신격화하면서도 자신들이 이따금 그 신에 반항해 왔다는 어렴풋한 의식을 마음 한구석에 가지고 있다. 하지만 민주주의는 너그러운 신이고, 미국의 이단(고문, 도둑질, 노예화)은 개인이나 민족들 사이에 너무 흔하기 때문에 자신은 전혀 이단의 영향을 받지 않았다고 단언할 수 있는 사람은 아무도 없단다. 사실 진정한 의미에서 미국인이라면 결코 자신들의 신을 배반한 적이 없다고 할 수 있겠지.

1863년에 에이브러햄 링컨이 게티스버그 전투를 기리며 〈국민에 의한, 국민을 위한, 국민의 정부가 지상에서 사라지지 않도록〉 해야 한다고 선언했을 때, 그가 그저 야망에 불타올라서 그런 말을 한 건 아니었다. 사실 남북 전쟁이 시작되었을 당시 미합중국은 유권자 비율이 세계에서 가장 높은 나라 중 하나였어. 문제는 링컨이 말한 것이 진정으로 〈국민의 정부〉였는가 하는 게 아니라, 우리나라가 지난 역사 동안 〈국민〉이라는 정치적 용어를 실제 어떤 의미로 받아들여 왔는가 하는 거야. 1863년에 〈국민〉이라는 말은 네 엄마나 네 할머니를 뜻하지 않았다. 그것은 너와 나를 뜻하는 말도 아니었어. 따라서 미국의 문제는 미국이 〈국민의 정부〉를 배신했는가에 있는 게 아니라, 〈국민〉이 그들의 이름을 획득했던 수단이 어땠는가와 관련돼 있어.

이 문제는 그만큼 중요한 또 하나의 이상과 이어져 있다. 미국인들이 암묵적으로 받아들이면서도 의식적으로 주장하지는 않는 이상 말이다. 미국인들은 확고하게 규정된 자연계의 한 특징으로서 〈인종〉의 실체를 믿는다. 인종주의 — 사람들에게 이런저런 특징이 뼛속 깊이 새겨져 있다고 여기고는 그 사람들을 모욕하고 축소하고 파괴하려는 욕구 — 는 이 바꿀 수 없는 조건으로부터 불가피하게 따라 나올 수밖에 없어. 이런 식으로 인종주의는 대자연의 순진한 딸인 것처럼 묘사되고, 마치 지진이나 토네이도, 또는 인간의 힘을 초월하는 어떤 자연 현상을 한탄하듯 〈중간 항로〉[1]나 〈눈물의 길〉[2]을 애도하기 위해 남겨진 딸인 양 묘사되곤 하지.

그러나 인종은 인종주의의 자식이지, 그 아비가 아니다.

그리고 〈국민〉을 지칭하는 과정은 계보학이나 골상학의 문제라기보다는 차라리 서열을 매기기 위한 과정이었다. 피부색이나 머리카락의 차이는 오래전부터 있었던 거야. 하지만 피부색이나 머리카락에 우위가 있다는 믿음, 이런 요인이 한 사회를 올바르게 편성할 수 있다는 인식, 이런 요인이 지워질 수 없는 더 깊은 속성을 나타낸다는 인식은 자신이 백인이라고 믿게끔 가망 없이 비극적이고 기만적으로 키워진 이 새로운 국민의 심장에 새롭게 자리 잡은 관념이다.

이들 새로운 국민은 우리와 마찬가지로 근대의 발명품이다. 하지만 우리와는 달리 그들의 새로운 이름에는 범죄적인 권력 기구와 무관한 참다운 의미 같은 건 찾아볼 수 없어. 이 새로운 국민도 지금처럼 백인이기 이전에는 가톨릭교도, 코르시카인, 웨일스인, 메노파 교도, 유대교도 등등 다른 어떤 것이었다. 만약 우리 민족의 모든 소망이 조금이라도 실현된다면, 아마 그들은 또다시 다른 무언가가 되어야 할 거다. 어쩌면 그들은 진정으로 미국인이 되어서

1 Middle Passage. 아프리카에서 신대륙으로 노예를 실어 나르던 항로의 중간인 대서양 횡단 항로. 더러운 화물칸에 생선처럼 빼곡히 실려 가던 도중 전염병, 자살, 우울증, 폭동 등으로 전체 흑인의 3분의 1가량이 목숨을 잃었다.
2 Trail of Tears. 1830년대 미국에서 제정된 「인디언 이주법」에 의해 아메리카 원주민 부족들이 겪었던 일련의 강제 이주. 총 1만 6,500여 명의 이주민 가운데 약 2,000~6,000명이 이동 중에 목숨을 잃었다.

그들의 신화를 만들기 위한 더욱 고결한 토대를 창조할 수도 있겠지. 그걸 뭐라고 불러야 할지는 모르겠구나.

다만 지금으로선 그 이질적인 부족들을 하얗게 세탁한 과정, 백인이라는 믿음을 고양시킨 그 과정이 포도주 시음이나 아이스크림 파티를 통해 이루어진 게 아니라, 생명과 자유, 노동과 땅에 대한 약탈을 통해, 등을 내리치는 호된 채찍질을 통해, 팔다리에 채운 사슬을 통해, 반체제자들에 대한 교살을 통해, 수많은 가족의 파괴를 통해, 어머니들에 대한 강간을 통해, 아이들에 대한 인신매매를 통해, 그리고 무엇보다도 너와 내가 우리 자신의 몸을 지키고 다스릴 권리를 부정하도록 의도되었던 다양한 행동을 통해 이루어졌다고 말해야 할 거다.

이런 점에서 새로운 국민은 전혀 새롭다고 할 수 없다. 어쩌면 역사의 어느 시점에서는 다른 인간의 몸을 폭력적으로 착취하지 않고도 그 힘을 떨쳤던 위대한 권력이 있었을지도 모르지. 설사 그런 권력이 있었다고 해도 아직까지 나는 발견하지 못했구나. 하지만 미국은 결코 이와 같은 폭력의 진부함을 변명으로 삼을 수는 없어. 왜냐하면 미국은 진부한 것들을 표방하지 않으니까. 미국은 자신이 예외적이라고, 지금껏 지상에 존재했던 가장 위대하고 고귀한 국가라고, 민주주의라는 순백의 도시와 테러리스트, 독재자,

야만인, 그리고 그 밖의 여러 문명의 적들 사이에 버티고 선 외로운 투사라고 믿으니까. 자기가 초인이라고 주장하면서 다른 한편으로 인간적인 오류를 호소할 수는 없는 법이다.

나는 우리나라 사람들이 주장하는 이런 미국의 예외주의를 진지하게 받아들여 볼 생각이다. 다시 말해 우리나라에 예외적인 도덕적 기준을 적용해 보겠다는 얘기다. 사실 이건 대단히 어려운 일인데, 우리 주변 곳곳에는 미국의 결백을 액면 그대로 받아들이고, 너무 많은 것을 묻지 말라고 다그치는 장치가 있기 때문이야. 게다가 진실을 외면한 채 우리 역사의 열매를 받아먹고, 우리 모두의 이름으로 저질러진 거대한 폐해를 무시하기는 너무도 쉬운 일이다. 하지만 너와 나는 진정으로 그런 호사를 누려 본 적이 한 번도 없다. 무슨 말인지는 너도 알 거야.

나는 열다섯 살 너에게 이 글을 쓴다. 내가 이렇게 글을 쓰고 있는 이유는, 에릭 가너[3]가 개비 담배를 팔았다는 이유로 목이 졸려 죽는 것을 네가 본 게 바로 올해였기 때문

---

3 Eric Garner. 2014년 7월 17일, 뉴욕 스태튼아일랜드에서 마흔셋의 나이로 경찰에게 죽임을 당했다. 무허가로 개비 담배를 팔고 있다고 의심한 경찰이 가너에게 접근했고, 가너가 담배를 그만 팔겠다고 하자 경찰이 그를 체포하려고 제압하다가 급소를 눌렀다. 숨을 못 쉬겠다고 신음하던 가너는 쓰러졌고, 응급차가 도착할 때까지 경찰은 아무 조치를 취하지 않았다.

이다. 레니샤 맥브라이드[4]가 도움을 청했다는 이유로 총에 맞아 죽고, 존 크로퍼드[5]가 어느 백화점 안을 둘러봤다는 이유로 총에 쓰러졌다는 걸 이제 너도 알기 때문이야. 그리고 제복을 입은 남자들이 순찰차를 타고 지나가다가, 그들이 했던 서약에 따라 보호해야 했던 열두 살 꼬마 타미르 라이스[6]를 살해하는 장면을 너는 보았다. 똑같은 제복을 입은 남자들이 누군가의 할머니였을 말린 피녹[7]에게 도로변에서 뭇매를 때리는 장면도 너는 보았지. 그리고 설사 예전에는 몰랐다 해도, 네 나라의 경찰에게는 네 몸을 파괴할 권한이 주어져 있다는 걸 이제 넌 똑똑히 알게 되었어.

그런 파괴가 어떤 불행한 과잉 반응의 결과인가 아닌가

4 Renisha McBride. 2013년 11월 2일, 열아홉 살의 맥브라이드는 미시건주 디어본하이츠에서 새벽 시간에 자동차 충돌 사고를 내고 도움을 청하기 위해 동네 주민의 문을 두드렸다가 집주인이 쏜 총에 맞아 사망했다.

5 John Crawford III. 2014년 8월 5일, 스물두 살의 크로퍼드는 오하이오주 비버크릭의 월마트에서 장난감 비비탄 총을 지니고 있다가 신고를 받고 출동한 경찰의 총에 맞아 사망했다. 매장 CCTV에는 그가 휴대전화 통화 중에 총을 맞는 장면이 찍혀 있었다.

6 Tamir Rice. 2014년 11월 22일, 열두 살의 라이스는 〈흑인 남자가 그네를 타고 사람들에게 총을 겨누고 있다〉는 신고를 받고 도착한 경찰이 쏜 총에 맞아 사망했다. 신고자가 〈가짜〉 총일 수도 있다고 제보했지만 출동한 경찰에게 그 내용은 전달되지 않았고, 경찰은 현장에 도착하자마자 곧바로 발포했다. 문제의 총은 장난감이었다.

7 Marlene Pinnock. 2014년 7월 1일, 쉰한 살의 피녹은 고속도로를 맨발로 배회하다가 캘리포니아 고속도로 순찰대에게 붙잡혀 도로변 바닥에 팽개쳐진 채 심하게 구타당했다.

하는 건 중요치 않다. 그것이 오해에서 비롯된 것인가 아닌가 하는 건 중요치 않아. 그런 파괴가 바보 같은 정책에서 비롯된 것인가 하는 건 따질 필요도 없다. 중요한 건 적절한 권한 없이 담배를 팔았다가는 네 몸이 파괴될 수 있다는 거야. 네 몸을 옭아매려는 사람들에게 불같이 화를 냈다가도 네 몸은 파괴될 수 있어. 컴컴한 계단통으로 들어섰다가도 네 몸은 파괴될 수 있어. 그렇더라도 그 파괴자들이 책임을 지는 경우는 좀처럼 없을 거다. 그들 대부분이 죽을 때까지 연금을 받을 거야. 그리고 파괴는 그저 몸수색, 구금, 구타, 모욕 등을 포함하는 특권을 휘두르는 지배의 최상위 형태에 지나지 않아. 이 모든 게 흑인들에게는 흔한 일이고, 이 모든 게 흑인들에게는 오래된 일이야. 어느 누구도 책임을 지지 않아.

이런 파괴자들에게 유달리 사악한 점이라고는 전혀 찾아볼 수 없다. 지금 이 순간이 유달리 사악한 시절도 아니다. 이 파괴자들은 그저 우리나라의 변덕을 집행하고 있을 뿐이야. 정확히는 이 나라의 유산과 유물을 해석하고 있을 뿐이지. 이 사실을 마주하는 게 쉬운 일은 아니다. 하지만 우리가 쓰는 모든 표현들 — 인종 관계, 인종적 골, 인종적 정의, 인종적 프로파일링, 백인 특권, 심지어 백인 우위 — 은 인종주의가 깊은 감정적 경험이라는 사실을 흐려 버린다. 인종주의가 뇌를 들어내고, 기도를 막고, 근육을 찢고, 내장을 뽑아내고, 뼈를 으스러뜨리고, 이빨을 부러뜨린다는 사실을 흐려 버린다. 너는 절대로 이 사실을 외면해서는 안 돼. 그리고 항상 기억해야 한다. 이 땅의 사회학, 역사학, 경제학, 그래프, 차트, 회귀분석은 모두 엄청난 폭력과 함께 몸뚱이를 덮친다는 사실을.

지난 일요일에 그 진행자와 함께했던 그 뉴스쇼에서 나는 주어진 시간 안에 최대한 이 점을 설명하려고 애썼다. 하지만 인터뷰가 끝날 때쯤, 그 진행자는 많은 사람이 공유했던 한 장의 사진을 얼른 보여 주더구나. 눈물이 그렁그렁해서 백인 경찰관을 껴안고 있는 열한 살 흑인 소년의 사진이었지. 그러고는 나에게 〈희망〉에 관해 질문하더구나. 그제야 나는 내가 실패했다는 걸 알았다. 그리고 내가 실패를 예상했다는 사실을 떠올렸지. 그러자 내 안에서 차오르는 희미한 슬픔에 다시금 의아해졌어. 정확히 난 무엇 때문에 슬펐던 걸까?

스튜디오를 나와서 잠시 걸었다. 12월의 조용한 낮이었지. 스스로를 백인이라고 믿는 가족들이 거리에 나와 있었다. 백인으로 길러질 아기들은 꽁꽁 싸매진 채 유모차 안에 있었어. 나는 그 뉴스 진행자에게 슬펐던 것만큼, 그리고 허울 좋은 희망을 지켜보고 그 희망 속에서 기뻐하는 모든 사람들로 인해 슬펐던 것만큼이나 이 거리의 사람들로 인해 슬펐다. 그러다가 문득 내가 슬픈 이유를 깨달았지. 그 진행자가 나한테 내 몸에 관해 물었을 때, 그건 마치 그녀가 가장 근사한 꿈에서 자기를 깨워 달라고 나한테 부탁하는 것 같았기 때문이야. 나는 그런 꿈을 평생 보아 왔다. 그 〈꿈〉은 깔끔한 잔디밭이 있는 완벽한 집이다. 그 〈꿈〉은 전몰장병 기념일 휴일의 야외 요리고, 동네 파티고, 집 앞 진입로다. 그 〈꿈〉은 나무 위에 지은 트리하우스고 컵스카우트다. 그 〈꿈〉은 페퍼민트 같은 향기가 나지만 맛은 딸기 쇼트케이크 같지.

아주 오랫동안 나는 그 〈꿈〉 속으로 도망치고 싶었다. 내 나라를 이불처럼 머리 위로 뒤집어쓰고 싶었다. 하지만 그게 한 번도 선택 사항인 적이 없었지. 사실 그 〈꿈〉은 쓰러진 우리 몸뚱이 위에 세워졌고, 그 침구는 우리의 몸뚱이로 만들어졌기 때문이야. 나는 그걸 알고 있었어. 그 〈꿈〉은 이미 알려진 세계와 전쟁을 치름으로써 지속된다는 것을 알고 있었던 거야. 그래서 그 진행자로 인해 슬펐고, 그 모든 가족들로 인해 슬펐고, 내 나라로 인해 슬펐던 거야. 그러나 무엇보다도 그 순간에는 너로 인해 슬펐어.

마침 그때가 마이클 브라운[8]을 죽인 사람들이 풀려날 거라는 소식을 네가 듣게 된 바로 그 주였지. 자신들이 쥔 불가침의 권력을 무시무시하게 선언하기라도 하듯 그의 죽은 몸뚱이를 길거리에 팽개쳐 두었던 그 사람들은 결코 처벌받지 않을 터였다. 나는 애초에 어느 한 명이라도 처벌될 거라고는 기대도 하지 않았어. 하지만 너는 어렸고 아직 믿고 있었지.

그날 밤 너는 밤 11시까지 자지 않고 기소 발표가 나기를 기다리다가, 뉴스에서 아무도 기소되지 않았다는 보도가 나오자 이렇게 말했어. 「그만 들어갈게요.」 네가 방으로 들어간 뒤, 나는 네가 우는 소리를 들었다. 5분 후에 나는 네 방에 들어갔지만 너를 안아 주지 않았어. 너를 위로하지도 않았어. 너를 위로하는 건 옳지 않다고 생각했으니까. 괜찮아질 거라고 말해 주지도 않았어. 괜찮아질 거라고는 절대 믿지 않았으니까. 대신에 내가 너에게 한 말은 네 할머니 할아버지가 늘 나에게 하셨던 바로 그 말씀이었어. 「이것이 너의 나라다. 이것이 네가 사는 세상이다. 이것이 너의 몸이다. 너는 이 모든 것 안에서 살아 나갈 방법을 찾아야만 한다.」 이제야 하는 말이지만, 검은 몸을 하고 〈꿈〉

---

8 Michael Brown. 2014년 8월 9일, 미주리 주 퍼거슨에서 열여덟 살 흑인 소년 마이클 브라운이 한 편의점에서 엽궐련 몇 갑을 훔친 뒤 신고를 받고 출동한 백인 경찰관과 실랑이를 벌이다 총에 맞아 사망했다. 비무장 상태의 소년에게 열두 발을 발사한 경찰에 대한 항의 시위는 보름간 계속되었고, 이후 이 사건은 퍼거슨 사태로 불리게 되었다.

속을 헤매는 나라 안에서 어떻게 살 것인가 하는 질문은 나에겐 평생의 질문이었다. 그리고 이 질문을 좇는 것이 궁극적으로는 그 질문의 답이라는 걸 깨달았다.

분명 너한테는 이 말이 이상한 얘기로 들릴 거야. 우리는 〈목표 지향적인〉 시대를 살고 있으니까. 우리 미디어들이 쓰는 어휘는 얄팍한 선정성, 거창한 관념, 모든 것에 관한 화려한 이론들로 가득 차 있지. 하지만 얼마 전에 나는 그 모든 형태의 마법을 거부했다. 이런 거부는 네 할아버지 할머니로부터 받은 선물이었지. 두 분은 결코 사후 세계에 관한 관념으로 나를 위로하려 하지 않았고, 미국의 영광이 예정되어 있다는 말에 대해서도 회의적이었어. 역사의 혼돈과 나의 최종적 한계에 관한 사실, 이 두 가지를 모두 받아들이게 되면서 나는 홀가분하게 내가 살고 싶은 삶의 방식을 진정으로 고민하게 되었다. 특히 〈검은 몸을 하고서 어떻게 자유롭게 살 것인가?〉 이건 아주 심오한 질문인데, 미국은 자신을 신의 작품이라 생각하지만 그럼에도 검은 몸들은 미국이 인간의 작품이라는 걸 말해 주는 가장 확실한 증거이기 때문이야.

나는 독서와 글쓰기를 통해서, 내 젊은 날 듣던 음악을 통해서, 네 할아버지나 네 엄마, 자나이 이모, 벤 이모부와의 논쟁을 통해서 계속해서 그 질문을 던지곤 했다. 그리고

민족주의 신화 속에서, 강의실 안에서, 거리에서, 그리고 다른 대륙에서 그 답을 찾으려 애썼지. 그 질문은 대답될 수 없는 질문이지만, 그렇다고 해서 그게 쓸데없는 질문이라는 얘기는 아니다. 그 끈질긴 물음표가 안겨 준 가장 큰 보상, 내 나라의 야수성과 대면해서 얻게 된 가장 큰 보상은 그로 인해 내가 유령들로부터 벗어나게 되었고 육체 박탈에 대한 순전한 공포에 맞서 단단히 채비하게 되었다는 거다.

그런데 나는 두렵구나. 그 두려움은 네가 내 곁을 떠날 때마다 가장 사무치게 느껴진다. 하지만 나는 네가 태어나기 오래전에도 두려움에 떨었고, 또 그런 점에서는 나만 독특한 것도 아니었어. 내가 너만 했을 때 내가 아는 사람은 전부 흑인들이었는데, 그들 모두 극심하게, 요지부동으로, 위험할 정도로 두려워하고 있었다. 비록 늘 의식했던 건 아니지만, 어린 시절 내내 나는 그 두려움을 보며 살았지.

두려움은 언제나 내 바로 앞에 있었다. 두려움은 사치스럽게 꾸미고 다니는 우리 동네 소년들 안에 있었고, 그들이 걸고 있는 큼직한 목걸이와 메달 목걸이, 몸보다 크게 부풀려진 그들의 외투와 발까지 내려오는 모피 칼라의 가죽 옷에도 있었다. 그런 옷은 그들의 세계에 맞서는 갑옷이었지. 그런 소년들은 그윈오크 가와 리버티 가 모퉁이에, 콜드스

프링 가와 파크하이츠 가 모퉁이에, 또는 먼도민 몰 바깥에서, 양손을 러셀 스웨트셔츠 깊숙이 찌른 채 서 있곤 했어. 지금 그 소년들을 떠올려 보면 그들에게서 보이는 건 온통 두려움뿐이다. 그들에게서 보이는 건, 미시시피 폭도들이 그들의 할아버지들에게 달려들어 검은 몸뚱이의 가지에 불을 지르고 그 가지를 잘라 버리곤 했던, 안 좋았던 옛 시절의 유령들에 맞서 스스로 단단히 대비한 모습뿐이다. 그 두려움은 소년들의 노련한 몸 흔들기에, 그들의 늘어진 청바지에, 그들의 큼직한 티셔츠에, 계산된 각도로 얹어 쓴 야구 모자에, 자신은 열망하는 모든 것을 굳건히 소유하고 있다는 믿음을 북돋기 위해 동원한 행동과 옷차림의 목록 속에 생생히 살아 있었어.

그 두려움은 그들이 싸우는 관습 속에서도 보였지. 내 나이 겨우 다섯 살 때였나, 우드브룩 가에 있는 우리 집 현관 계단에 앉아 있던 나는, 웃통을 벗은 두 소년이 가까운 거리를 두고 원을 그리다가 서로 어깨를 들이받는 것을 지켜본 적이 있었다. 그때부터 나는 거리의 싸움에는 하나의 의례가 있다는 것을, 그 필요성 자체가 검은 십 대의 몸뚱이의 나약함을 증명해 주는 규칙과 규범이 있다는 것을 알게 된 거야.

그 두려움은 내가 알게 된 첫 번째 음악 속에서도, 과시와 허세 가득한 대형 휴대용 카세트로부터 쿵쿵 펌프질되던 그 음악 속에서도 들렸어. 파크하이츠 위쪽 개리슨 가와 리버티 가에 서 있던 소년들이 그 음악을 좋아했는데, 그 음악은 온갖 불리한 증거와 희박한 가능성에도 불구하고 그들의 삶, 그들이 사는 거리, 그들이 가진 몸뚱이의 주인은 바로 그들이라고 말해 주고 있었기 때문이야. 그 두려움은 소녀들에게서도, 소녀들의 떠들썩한 웃음소리에서도, 그들의 이름을 세 번씩 알리는 금박 입힌 대나무 귀고리에서도 보였다. 그리고 그들의 잔인한 언어와 매정한 시선에서, 매서운 눈길로 우리를 아프게 베고 너무 놀아 재끼는 죄를 물어 몇 마디 말로 사람을 파괴하는 방식에서도 볼 수 있었어. 「그 입으로 내 이름 부르지도 마!」 소녀들은 그렇게 쏘아붙이곤 했지. 나는 방과 후에 소녀들을 지켜보곤 했는데, 소녀들은 권투선수처럼 싸울 태세를 하고, 바셀린을 바르고, 귀고리를 빼고, 리복 운동화를 신고, 서로에게 덤벼들곤 했어.

그 두려움은 필라델피아에 있는 할머니의 집을 방문했을 때에도 느껴졌다. 너는 그분을 모를 거다. 나도 그분을 잘 알지는 못하지만, 할머니의 무정한 태도와 거친 목소리는 똑똑히 기억난다. 그리고 나는 내 아버지의 아버지가 죽었다는 것, 나의 오스카 삼촌이 죽었다는 것, 데이비드 삼촌이 죽었다는 것, 그리고 그분들의 죽음이 하나같이 이상했다는 것도 알고 있었다. 그리고 나의 아버지, 너를 사랑하시는 그분, 너에게 조언을 해주시는 그분, 너를 챙겨 주라며 나에게 슬쩍 돈을 찔러 주시는 그분에게서도 나는 그 두려움을 보았다.

내 아버지는 굉장히 겁내 하셨어. 아버지의 검은 가죽 허리띠가 안겨 주는 얼얼함 속에서 난 그것을 느꼈지. 아버지는 분노보다는 불안으로 허리띠를 휘둘렀고, 마치 누군가 나를 훔쳐 갈세라 나를 때리셨다. 우리 주변에서 바로 그런 일이 다반사로 벌어지곤 했기 때문이야. 누구든 거리와 감옥에서, 마약이나 총으로, 또는 저마다의 이유로 자식 한 명을 잃지 않은 사람이 없었다. 사라진 소녀들은 꿀처럼 달콤하고 파리 한 마리 죽이지 못하는 성격이었다고들 했지. 사라진 소년들은 이제 막 대입 검정고시를 합격했고 삶의 전환기에 접어든 때였다고들 했지. 그러나 이제 그들은 떠나 버렸고, 그 뒤에 남은 건 엄청난 두려움이었다.

어른들이 너한테 이 이야기를 들려준 적이 있었는지 모르겠구나. 네 할머니가 열여섯 살 되던 해에 한 젊은 남자가 할머니네 집 문을 노크한 적이 있었다. 그 청년은 조 할머니의 남자친구였어. 집 안에는 할머니 말고는 다른 사람이 없었지. 할머니는 그 청년을 안으로 들이고 조 할머니가 돌아올 때까지 앉아서 기다리라고 했어. 그런데 네 증조할머니가 먼저 집에 돌아오셨던 거야. 증조할머니는 그 청년에게 나가라고 했어. 그러고는 마지막으로 한 번, 네 할머니를 심하게 때리셨다. 딸에게 얼마나 쉽게 몸을 잃을 수 있는지 똑똑히 기억시키기 위해서 말이다. 네 할머니는 절대 잊지 않으셨다. 어머니가 나를 데리고 길을 건널 때면 내 작은 손이 으스러지도록 세게 쥐셨던 일이 떠오르는구나. 네 할머니는 만에 하나라도 내가 손을 놓았다가, 달려오는 자동차에 치어 죽게 되면 다시 살아날 때까지 때려 주겠다고 말씀하시곤 했어.

내가 여섯 살 때, 어머니와 아버지를 따라 한 지역 공원에 놀러 갔던 적이 있었다. 나는 두 분의 시야에서 벗어나서 어느 놀이터를 발견했지. 네 할머니와 할아버지는 나를 찾기까지 몇 분 동안 가슴을 졸이셨고, 두 분이 나를 찾아내셨을 때 할아버지는 그 시절 모든 부모들이 했을 법한 행동을 하셨어. 허리띠를 푸셨던 거야. 놀라서 멍한 눈으로, 처벌과 위반 사이의 그 거리에 두려움을 느끼며 네 할아버지를 바라보던 일이 기억난다. 나중에, 아버지의 목소리에서도 나는 그것을 듣곤 했다. 「내가 녀석을 때리지 않으면 경찰이 녀석을 때릴 거야.」 어쩌면 그게 내 목숨을 구했을지도 모르지, 어쩌면 아닐 수도 있고. 다만 내가 아는 건, 연기가 불에서 피어오르듯 폭력은 두려움에서 떠오른다는 사실이다. 하지만 아무리 두려움과 사랑 때문에 폭력을 쓴다고 해도, 그 폭력이 경종을 울리는지 아니면 출구에서 우리를 질식시키는지는 잘 모르겠구나. 내가 알기로는, 십 대 아들이 건방지게 말대꾸했다는 이유로 자기 아들을 두드려 팼던 아버지들이 그러고 나면 그 소년들을 거리로 풀어 주었고, 그러면 그 소년들은 거리에서 똑같은 정의를 사용했고 똑같은 정의의 지배를 받았다는 거다. 물론 자기 딸을 허리띠로 때리는 엄마들도 있었는데, 그렇다 해도 그 허리띠가 소녀들보다 두 배는 나이가 많은 마약상들로부터 소녀들을 구해 주지는 못했다.

우리 어린아이들이 견디는 방법은 우리만의 가장 어두운 유머를 사용하는 거였다. 우리는 밑 빠진 나무상자 안으로 농구공을 던져 넣곤 하던 골목길에 서서, 5학년 학급 전체가 보는 앞에서 어머니한테 흠씬 두들겨 맞던 소년을 두고 농담을 했어. 우리는 시내로 가는 5번 버스에 앉아서, 그 어머니가 전선, 연장 코드, 냄비, 프라이팬, 손에 닿는 아무거나 집어 들고 때린다고 소문난 어느 매 맞는 소녀 얘기를 하면서 웃었다. 우리는 웃고 있었지만, 사실 난 우리가 가장 두려워하는 사람들이 바로 우리를 가장 많이 사랑하는 사람들이라는 걸 알고 있었어. 우리네 부모들은 역병의 시대에 채찍질에 의지하던 고행자들이 하던 방식과 똑같이 채찍에 의지하고 있었던 거다.

내 어린 시절에 볼티모어에서 흑인으로 산다는 건 이 세계의 비바람 앞에서, 그 모든 총과 주먹, 부엌칼, 강도, 강간, 질병 앞에서 알몸으로 버텨 내야 한다는 뜻이었다. 우리가 발가벗은 알몸이었던 건 실수도 아니고 병도 아니었다. 그 발가벗음은 정책이 의도했던 정확한 결과였고, 수세기 동안 두려움 아래 살도록 강요받았던 사람들에게는 예측할 수 있는 결말이었다. 법은 우리를 보호해 주지 않았다. 그리고 지금 네가 사는 시대의 법이란, 길 가는 너를 멈춰 세우고 몸수색을 하기 위한 구실, 다시 말해 네 몸에 더 많은 폭행을 가하기 위한 구실이 되어 왔다.

한 사회가 일부 사람들에게는 학교라는 안전망과 정부 지원의 주택 자금 융자를 제공하고 조상 대대로 내려온 부를 통해 그들을 보호해 주면서도 너에 대해선 형법이라는 곤봉으로 보호할 수밖에 없다면, 그 사회는 자신의 선한 의도를 실행하는 데 실패한 사회이거나 훨씬 어두운 어떤 것을 성공시켜 온 사회일 거다. 그걸 뭐라 부르든 간에, 그 결과는 세계의 범죄 세력 앞에서 우리의 병약함으로 나타났다. 그 세력의 대리인이 백인인지 흑인인지는 중요하지 않다. 중요한 것은 우리가 처한 조건이다. 중요한 것은 네 몸뚱이를 바스러뜨릴 수 있게 해주는 시스템이다.

그런 범죄 세력들의 등장, 일련의 중대한 변화들은 내 평생에 걸쳐서 펼쳐져 왔다. 그런 변화는 여전히 펼쳐지고 있고 아마 내가 죽을 때까지도 계속 그럴 거다. 내가 열한 살 때였다. 세븐일레븐 앞 주차장에 서 있던 나는 길가 쪽의 나보다 나이 많은 소년들을 지켜보고 있었다. 그들은 고함을 지르며 몸짓을 했는데…… 누구한테 하는 거지? …… 또 다른 소년, 그곳에 서 있던 나만큼 어린 소년이 거의 미소 띤 얼굴로 두 손을 번쩍 들어 올리고 서 있었다. 그 소년은 그날 내가 배우게 될 교훈을 이미 알고 있었던 거다. 자기 몸이 지속적인 위험에 처해 있다는 사실을.

그 소년이 어떻게 그런 지식을 갖게 됐는지는 누가 알겠니? 저소득층 공영 주택 단지에서 알게 됐는지, 술 취한 의붓아버지, 경찰에 의해 뇌진탕에 걸린 형, 시립 교도소에 갇힌 사촌으로부터 알게 됐는지. 그가 수적으로 불리하다는 건 중요한 문제가 아니었다. 세계 전체가 수적으로 그를 능가한 건 이미 오래전의 일이니까. 그리고 숫자가 뭐가 중요하다고? 이것은 그의 몸을 둘러싼 소유권 전쟁이었고, 이것은 그의 일생 동안 이어질 전쟁이었다.

잠깐 동안 나는 거기 선 채로, 그 나이 많은 소년들의 멋진 패션 감각에 감탄하고 있었다. 그들 모두가 스키 재킷을 입고 있었다. 그 시절에 엄마들이 9월에 미리 예약 구매를 걸어 놓고서, 크리스마스 선물로 포장까지 해서 준비해 두기 위해 수많은 초과 근무를 해야 겨우 살 수 있던 그런 옷이었지. 나는 그중 두상이 길고 눈이 작고 피부색이 밝은 한 소년을 가만히 보고 있었다. 그는 나와 가까이 서 있던 또 다른 한 소년을 험악하게 노려보고 있었거든. 그때가 오후 세 시가 되기 직전이었다. 나는 6학년이었어. 학교가 방금 파한 시간이었고 아직 싸우기 좋은 초봄의 날씨는 아니었어. 여기서 정확히 뭐가 문제였을까? 누가 그걸 알 수 있었을까?

눈이 작은 그 소년이 스키 재킷 안쪽에 손을 넣더니 권총을 꺼냈어. 그 장면이 마치 꿈속처럼 가장 느린 화면으로 떠오르는구나. 그 소년은 거기 서서 총으로 위협하고 있었지. 그 총을 천천히 꺼냈다가 집어넣었고, 그러고는 다시 한 번 총을 꺼냈는데, 나는 그의 작은 눈에서 한순간에 내 몸을 지워 버릴 만한 분노가 솟구치는 걸 보았다. 그때가 1986년이었어. 넘쳐 나는 살인 뉴스 보도들 속에 빠져 죽을 것 같던 해였지. 나는 이런 살인범들이 특정 표적을 노리고 겨냥하는 게 아니라 그냥 걸리는 대로 고모할머니들, 학부모회 엄마들, 야근하는 삼촌들, 그리고 즐거워하는 어린이들을 습격한다는 걸, 억수 같은 장대비처럼 닥치는 대로 무자비하게 그들을 공격한다는 걸 알고 있었어.

이론상으로는 알고 있었지만 그게 현실이라고 비로소 이해할 수 있게 된 건 작은 눈의 그 소년이 내 건너편에 서서 그 작은 손 안에 내 몸 전체를 쥐고 있을 때였다. 그 소년은 총을 쏘지 않았다. 그의 친구들이 그를 뒤로 잡아끌었지. 소년은 총을 쏠 필요가 없었어. 그것으로 그는 만물의 질서 속에서 내 위치를 확인시켜 주었으니까. 얼마나 쉽게 내가 선택될 수 있는지 알게 해주었던 거야. 그날 나는 지하철을 타고 집으로 가면서 그 일을 혼자 되새겨 보았다. 부모님께는 말씀드리지 않았어. 선생님들에게도 말하지 않았고. 설사 내 친구들에게 말했다고 해도 그 순간에 나를 덮쳤던 공포심을 감추기 위해 되레 완전히 신난 듯 떠벌렸을 거야.

한 사내아이의 어느 오후에, 느닷없이 안개가 피어오르듯 너무도 쉽게 죽음이 일어날 수 있다는 사실에 무척 놀랐던 기억은 지금도 생생하다. 내가 살던 웨스트볼티모어가, 사촌들이 살던 필라델피아 북부가, 아버지의 친구들이 살던 시카고의 사우스사이드가 따로 하나의 세상을 이루고 있다는 건 알고 있었어. 그리고 저 하늘 너머 소행성대를 지나 어딘가에는 다른 세상이 있었지. 걸핏하면 자기 몸뚱이 때문에 두려워할 필요가 없는 아이들이 사는 세상이.

내가 그걸 알게 된 건 우리 집 거실에 커다란 텔레비전이 있었기 때문이다. 저녁이면 나는 다른 세상의 소식을 날라다 주는 텔레비전 앞에 앉아 있곤 했어. 그 세상에는 풋볼 카드를 빠짐없이 모았다며 자랑하고, 바라는 거라고는 인기 많은 여자 친구를 얻는 게 전부고, 걱정거리라고는 옻나무밖에 없는 작은 백인 소년들이 살고 있었지. 그 다른 세상은 교외에 있었어. 고기 찜과 블루베리 파이, 모닥불, 아이스크림 선데, 얼룩 하나 없는 욕실, 나무가 우거지고 개울과 골짜기가 보이는 뒤뜰에 흩어져 있는 작은 장난감 트럭, 그 주변으로 질서정연하게 끝없이 펼쳐진 교외의 세상. 이런 소식들과 내가 태어난 세상의 현실을 비교하면서, 나는 내 나라가 하나의 은하라는 걸, 그리고 이 은하는 웨스트볼티모어의 아비규환에서 「미스터 벨버디어Mr. Belvedere」[9]의 행복한 사냥터까지 뻗어 있다는 걸 이해하게 되었다.

나는 우주의 그 나머지 공간과 내가 있는 공간 사이의 거리 때문에 가슴앓이를 했다. 미국이라는 은하에서 나의 구역, 집요한 중력에 의해 몸뚱이들이 노예화되는 구역은 검은색이고, 그 나머지 해방된 구역은 검지 않다는 걸 알게

9 1985년 3월부터 1990년 7월까지 ABC에서 방영된 시트콤. 그웬 데이븐포트의 소설 『벨버디어Belvedere』(1947)를 각색한 것으로 미국 중산층 가정과 집사 벨버디어를 중심으로 펼쳐지는 이야기다.

되었던 거다. 그리고 어떤 불가사의한 에너지가 그 사이의 골을 지키고 있다는 것도 알게 되었지. 그렇게 그 나머지 세상과 나 사이의 관계를 느끼고는 있었지만 아직 완전히 이해한 건 아니었어. 그리고 이런 우주적 불공평함 속에서 어떤 지독한 잔인성을 느꼈는데, 그 잔인성은 내 몸뚱이의 속박을 깨뜨려 탈출 속도에 도달하고 싶다는, 지속적이면서 억누를 수 없는 욕구를 불러일으켰다.

혹시 너도 똑같은 욕구를 느낀 적이 있는지? 너의 삶은 내가 살아온 삶과는 너무도 다르다. 이 세계, 현실 세계, 전체 세계의 거대함을 너는 이미 알고 있다. 그리고 너는 미국이라는 은하와 그 거주민들 — 그들의 집, 그들의 취미 — 을 가까이서 아주 많이 보아 왔기 때문에 내가 들었던 그런 소식은 전혀 필요 없겠지. 흑인 대통령, 사회 관계망, 어디에나 존재하는 미디어, 그리고 어디서든 타고난 머리카락을 그대로 하고 다니는 흑인 여성들 속에서 성장한다는 게 무얼 의미하는지 나는 모르겠구나. 내가 아는 건 그들이 마이클 브라운을 죽인 자를 석방시켰을 때, 네가 〈그만 들어갈게요〉라고 말했다는 거다. 나는 그게 가슴 아팠다. 우리가 살아온 세상이 그렇게 다름에도 불구하고, 네 나이만 할 때 내가 느꼈던 감정은 정확히 그것과 똑같았기 때문이야. 아니, 돌이켜 보면 심지어 네 나이 때에도 난 우리를 옭아

매는 위험을 아예 상상하지도 못했던 것 같다. 너는 아직도 잘못한 건 마이클 브라운이었다고 믿고 있지. 너는 아직 너 자신의 신화나 서사와 맞붙어 싸운 적이 없어서 우리 주변 어디에서나 벌어지는 약탈을 발견하지 못하는 거다.

내 경우는 미처 그걸 발견하기도 전에, 거기서 탈출하기도 전에 우선은 살아남아야 했다. 그건 곧 거리와의 격돌을 의미하는 거였다. 여기서 거리란 단지 물리적인 구역이 아니고, 그저 사람들이 붐비는 그런 거리도 아니다. 아스팔트 자체에서 올라오는 것 같은 온갖 치명적인 수수께끼와 온갖 이상한 위험들 전부를 말하는 거다. 거리는 평범한 하루하루를 완전히 바꿔서 얼핏 쉬워 보이지만 까다로운 일련의 질문으로 만들어 버리고, 우리는 정확하지 않은 답을 할 때마다 폭행, 총격, 임신의 위험에 처하게 되지. 어느 누구도 상처 없이 살아남지 못해.

그렇기는 해도 끊임없는 위험에서 솟아나는 열기, 죽을 뻔한 경험 가득한 생활방식에서 솟아나는 열기에는 스릴이 있지. 래퍼들이 〈거리〉에 중독되었다고 선언할 때나 〈게임〉과 사랑에 빠졌다고 선언할 때 의미하는 게 바로 그거다. 아마 그들은 낙하산 부대원이나 암벽 등반가, 베이스 점퍼, 그 밖에 목숨을 건 모험을 선택하는 사람들이 느끼는 것과 비슷한 무언가를 느끼는지도 모르겠구나. 물론 우리는 아무것도 선택하지 않지만 말이다. 그리고 나는 도시를 〈소유〉하기보다는 〈달리라〉고 주장하는 형제들의 말을 절대 믿지 않았다. 우리는 그 거리들을 설계하지 않았다. 우리가 그 거리들에 자금을 대는 것도 아니야. 그 거리들을 보존하지도 않지. 그럼에도 나는 나머지 모든 사람들처럼 내 몸을 보호할 책임을 짊어진 채 거리에 서 있었다.

그 패거리, 자신들의 공포를 분노로 뒤바꿔 버린 그 젊은 청년들이야말로 가장 큰 위험이었다. 그 패거리는 자기 동네 골목골목을 떠들썩하게 껄렁거리며 활보했어. 그렇게 떠들썩하게 껄렁거려야만 든든한 감정이나 힘을 조금이라도 더 느낄 수 있었기 때문이야. 그 힘을 느끼기 위해, 자기 몸뚱이의 힘 안에서 흥청대기 위해 그들은 남의 턱을 부서뜨리고, 얼굴을 짓밟고, 총을 쏘아 죽이곤 했지. 그리고 그들의 난폭한 흥청거림, 경악할 만한 행동은 그들의 이름을 널리 알려 주었어. 명성이 만들어지고 잔혹 행위가 회자되는 거야. 그래서 내가 살던 볼티모어에서는 체리 힐 패거리를 만나면 다른 길로 돌아가야 한다고, 노스와 펄래스키는 교차로가 아니라 깨지고 찢긴 파편만 남기고 지나가는 허리케인이라고 알려져 있었다.

그런 식으로, 이런 동네의 안전은 아래쪽으로 흘러갔고 그 동네에서 살아가는 몸뚱이들의 안전이 되었다. 이를테면 조조를 피해 다녀라, 그는 머피 홈스[10]의 두목인 케언의 사촌이니까 하는 식이지. 사실상 제2의 볼티모어나 다름없었던 나머지 도시들에서는 그들 동네가 다른 이름으로 불리고 소년들은 다른 이름으로 통할지언정, 그들의 임무는 별반 다르지 않았다. 무릎이나 갈비뼈, 팔을 부러뜨릴 수 있는 주먹을 통해 그들의 구역과 몸뚱이의 불가침성을 증명하는 것이었지. 이런 관행은 너무 흔했기 때문에, 그 시절 도시에서 자랐던 어느 흑인을 만나더라도 자기네 도시에선 어느 일파가 어느 지역을 다스리고 있었네 하는 얘기를 들을 수 있지. 모든 두목과 모든 사촌들의 이름과 함께 그들의 온갖 무용담을 들을 수 있을 거다.

동네에서 살아남고 내 몸뚱이를 보호하기 위해서, 나는 끄덕이는 고갯짓과 악수라는 기본적인 보어(補語)로 구성된 또 하나의 언어를 배웠다. 가지 말아야 할 금지 구역의 목록을 외웠다. 싸움이 일어날 만한 날씨의 냄새와 느낌을 배웠다. 그리고 〈꼬마, 네 자전거 좀 구경해도 될까?〉는 결코 진지한 질문이 아니라는 것, 〈어이, 너 때문에 내 사촌이 열 받았잖아〉는 결코 진지한 비난도 아니고 사실에 대한

10 지금은 철거된 볼티모어의 저소득층을 위한 고층 공동 주택. 1950~60년대 미국 전역에는 비좁은 공간에 가난한 흑인들을 최대한 많이 수용하기 위해 이런 고층 건물들이 세워졌는데, 〈빈민을 위한 창고〉라는 비난을 받았다.

오해도 아니라는 것을 배웠다.

이런 말은 곧 소환장과 같아서, 왼발을 앞에 놓고 오른발은 뒤로 빼고, 양손을 올려서 얼굴을 가리되 한 손을 다른 손보다 살짝 내려 망치처럼 위로 젖히는 몸짓으로 대답해야 했지. 그게 아니면 다르게 대답하는 방법도 있었는데, 곧장 골목으로 달아나 남의 집 뒤뜰을 가로질러 자기 집 문으로 득달같이 뛰어 들어가서는 어린 동생을 지나 방으로 들어가, 양가죽 연장통이나 매트리스 밑, 또는 아디다스 신발 상자에서 연장을 꺼내고는 네 사촌들(실제 있지도 않은)을 목청 높여 부르고, 같은 날 아까의 바로 그 구역으로 돌아가 아까의 그 일당에게 이렇게 고함을 치는 거야. 〈그래, 깜둥이 새꺄, 이제 어쩔래?〉 이런 규칙을 배우던 일이 색깔과 모양을 배우던 일보다 훨씬 더 선명하게 떠오르는 건, 이런 것들이 내 몸의 안전에 필수적이었기 때문이야.

내 생각엔 아마도 이게 우리 사이의 가장 큰 차이가 아닌가 싶다. 너도 옛 규칙에 관해선 어느 정도 알고 있겠지만, 그것이 나한테 그랬던 것만큼 너한테 필수적이진 않아. 물론 너도 지하철이나 공원에서 이따금 난폭한 사람을 상대해야 할 때가 있었겠지. 하지만 내가 네 나이만 했을 때는 날마다 내 두뇌의 3분의 1은 내가 누구와 함께 학교에 가고 있는지, 우리의 수는 정확히 몇 명인지, 우리의 걸음

걸이는 어떤지, 내가 웃음을 몇 번이나 지었는지, 누구에게 또는 무엇을 보고 웃었는지, 누가 한 대 치고 누가 그러지 않았는지 하는 것을 생각하는 데 고스란히 바쳐졌다. 이 모든 건 내가 거리의 문화, 주로 몸을 지키는 것과 관련된 문화를 몸으로 실행하고 있었다는 얘기야.

그 시절이 그립지는 않다. 너를 〈강인하게〉 키우거나 또는 〈거리〉의 아이로 만들고 싶은 생각이 전혀 없는 건, 내가 어떤 〈강인함〉을 갖고 있었던지 간에 아마 그건 마지못해 끌어낸 것이기 때문일 거야. 나는 어느 정도는 항상 그대가를 의식하고 있었던 것 같다. 내 두뇌의 3분의 1은 그보다 더 아름다운 것에 관심을 두어야 했다는 걸 어떻게든 알고 있었던 것 같아. 거리의 무언가가, 이름은 없지만 엄청난 어떤 힘이 나에게서…… 시간이랄까? 경험이랄까? 하여튼 무언가를 빼앗아 갔다고 느꼈던 것 같다. 너는 그 3분의 1이 할 수 있었던 것들을 제법 많이 알고 있을 거야. 바로 그 때문에 넌 내가 그랬던 것보다 더 많이 탈출의 욕구를 느낄 수도 있을 것 같구나. 너는 나무 꼭대기 위의 그 모든 멋진 삶을 봐왔고, 그러면서도 너와 트레이번 마틴[11] 사

11 Trayvon Martin. 2012년 2월 26일, 열일곱 살의 마틴은 아버지와 함께 아버지의 약혼자가 사는 도시인 샌퍼드를 방문했다가 편의점에서 물건을 사고 나오던 길에 그를 의심한 방범대원의 총에 맞아 사망했다.

이엔 현실의 어떤 거리도 없다는 걸 이해하고 있다. 그렇기 때문에 결코 겁먹지 않았을 나와는 달리 트레이번 마틴으로 인해 너는 겁에 질려 있겠지. 그들이 네 몸을 파괴할 때 모든 것을 잃어버린다는 걸 넌 꽤 많이 봐왔으니까.

거리가 나의 유일한 문제는 아니었다. 거리가 내 오른 다리에 족쇄를 채우고 있었다면 학교는 내 왼 다리에 족쇄를 채우고 있었다. 거리를 이해하지 못한다는 건 지금의 네 몸을 포기한다는 걸 의미했지. 그러나 학교를 이해하지 못한다는 건 나중의 네 몸을 포기하는 거나 다름없었어. 나는 그 둘 다의 손아귀 안에서 시달렸지만, 더 원망스러운 건 학교다. 거리의 법에는 정당하게 인가받은 게 하나도 없었어. 그 법은 무도덕적이면서 실질적이었지. 눈이 오면 부츠를 신고 비가 오면 우산을 펴 드는 것처럼 파티에 갈 때에는 어김없이 무리와 함께 다녀야 했다. 이것들은 명백한 무언가, 다시 말해 셰이크 앤드 베이크에 갈 때나 시내로 가는 버스를 탈 때마다 따라다니는 커다란 위험을 겨냥한 규칙이었어.

그러나 학교의 법은 아득하고 모호한 무언가를 겨냥하고 있었다. 어른들이 우리한테 자주 말하곤 하던, 〈자라서 이러저러한 사람이 되라〉는 말은 무슨 뜻이었을까? 암기 훈련이 되어 버린 교육과 그 말과는 정확히 무슨 관계가 있을까? 내가 살던 볼티모어에서 교육을 받는다는 건 여분의 2번 연필[12]을 챙기고 조용히 제 할 일을 한다는 뜻이었어. 교육받은 아이들은 복도의 오른쪽에서 일렬종대로 걸어갔고, 화장실에 가기 위해서 손을 들었고, 갈 때는 화장실 이용권을 가지고 갔어. 교육받은 아이들은 절대 변명하는 법이 없었지. 어리다는 것 자체는 확실히 변명이 안 됐어. 그 세계에는 흑인 소년 소녀들의 유년기를 위한 시간 따위는 없었어. 학교라고 별수 있었을까?

수학, 생물, 영어는 학과목이라기보다는 몸을 더 잘 단련하기 위한 기회였다. 선 사이에 글씨를 쓰면서 지시문을 알아볼 수 있게 베끼고, 세계에서 추출되어 그 세계를 나타내기 위해 만들어진 정리(定理)를 외우기 위한 기회였다. 그 모든 것이 나에게는 너무 막연하게만 느껴졌어. 7학년 때 프랑스어 수업 시간에 앉아 있으면서 내가 왜 거기 있는지 도무지 이해되지 않던 일이 떠오르는구나. 나는 프랑스인이라고는 한 명도 알지 못했고, 내 주변에는 장차 내가 프랑스인을 알게 될 거라고 암시해 주는 어떤 것도 없었어. 프랑스는 내가 결코 마주칠 일이 없는, 또 다른 하늘 또 다른 은하에서 또 다른 태양 주변을 도는 암석일 뿐이었지. 그런데 나는 왜 이 교실에 앉아 있는 걸까?

12 No.2 연필. 미국에서 쓰는 노란색 HB 연필.

그 질문의 답은 결코 찾지 못했다. 나는 호기심 많은 소년이었지만, 학교는 호기심 따위엔 관심이 없었으니까. 학교가 관심을 두는 건 순종이었어. 나는 선생님 중 몇 분을 무척 좋아했어. 하지만 그중 한 분이라도 내가 진정으로 믿었던 선생님이 있었다고는 말할 수 없구나. 학교를 졸업하고 몇 년이 지나 나중에 대학을 중퇴한 뒤에, 나스의 가사 몇 줄이 나를 뒤흔들었다.

엑스터시, 코크, 넌 그게 사랑이라 하지, 그건 독이야

내가 배웠던 학교, 그것들은 태워져야 하지, 그건 독이야[13]

내가 그 시절 느꼈던 게 정확히 그랬다. 나는 학교가 무언가를 감추고 있으면서, 우리에게 가짜 도덕성을 주입해 우리가 보지 못하도록, 우리가 질문하지 않도록 만들고 있다고 느꼈다. 왜 ── 우리에게, 그리고 유독 우리에게만 ── 자유 의지와 자유 영혼의 뒷면이 우리 몸에 대한 공격이 되는 걸까? 이건 지나친 걱정이 아니야. 어른들이 우리에게 학교를 제시했을 때, 그들은 학교를 고등 교육의 장으로서가 아니라 죽음과 형벌의 창고 입성으로부터 벗어날 수 있

13 래퍼 나스Nas가 2001년 발표한 음반 「Stillmatic」에 실린 「What Goes Around」의 일부.

는 수단으로 제시했어. 고등학교를 중퇴한 흑인 청년들 가운데 무려 60퍼센트가 감옥에 간단다. 이건 이 나라가 부끄러워해야 할 일일 거다. 하지만 이 나라는 그렇게 여기지 않지. 그 시절에 내가 숫자 계산에 뛰어나다거나 역사에 심취해 있다거나 하지는 못했지만, 웨스트볼티모어에 새겨져 있던 그 두려움을 학교가 해명해 줄 수 없다는 건 눈치 채고 있었어. 학교는 진실을 드러내지 않았고, 진실을 은폐했다. 어쩌면 진실의 핵심이 알려지게끔 학교들은 태워 없어져야 하는지도 모르겠구나.

나는 학교에 적응하지 못했고, 어느 정도는 학교의 부적응자가 되고 싶은 마음도 있었어. 그리고 거리를 터득하는 데 필요한 상식도 부족했지. 이 때문에 나는 나를 위한 탈출구는 없다고 느꼈어. 아니 솔직히 말해 어느 누구에게도 탈출구는 있을 수 없다고 느꼈다. 주먹다짐을 하고, 사촌과 패거리를 소리쳐 부르고, 만약 상황이 안 좋게 돌아가면 총을 꺼내 들곤 하는 겁 없는 아이들은 거리를 터득한 것처럼 보였지. 하지만 그들이 가진 지식은 열일곱 살 때 정점에 올랐고, 그 나이가 되어 부모의 집을 박차고 나오면 그들은 미국 역시 총과 사촌들을 가지고 있다는 걸 깨닫곤 했어.

28번 버스에 간신히 몸을 싣고서 세 살짜리 자녀를 때리고 욕하는 피곤한 엄마들의 얼굴에서 나는 그들의 미래를 보았다. 어느 젊은 아가씨가 웃지 않는다는 이유로 길모퉁이에서 외설스러운 욕을 해대는 남자들에게서 나는 그들의 미래를 보았다. 그들 중 몇몇은 술 한 병을 사다 주는 몇 달러벌이를 기다리며 주류 판매점 바깥에서 서성이곤 했지. 우리가 그들에게 20달러를 건네면서 잔돈은 가지라고 말하면, 그들은 가게 안으로 뛰어 들어가 레드불이니 매드독이니 시스코 따위를 사들고 나오곤 했어. 그러면 우리는 엄마가 야근을 나간 누군가의 집에 몰려가서는 「엿 먹어라 경찰Fuck tha Police」을 틀어 놓고 우리의 젊음에 건배하곤 했어. 우리는 벗어날 수 없었어. 우리가 걷는 땅에는 지뢰선이 깔려 있었어. 우리가 숨 쉬는 공기엔 독이 있었고, 물은 우리의 성장을 방해했다. 우리는 벗어날 수 없었어.

총을 꺼내 들던 작은 눈의 그 소년을 보고 1년 뒤, 아버지는 다른 소년이 내 물건을 훔치는 걸 내버려 두었다며 나를 두드려 팼어. 2년 뒤, 아버지는 내가 9학년 선생님을 위협했다며 나를 두드려 팼어. 충분히 폭력적이지 않으면 내 몸을 그 대가로 치를 수 있었어. 지나치게 폭력적이어도 내 몸으로 그 대가를 치렀지. 우리는 벗어날 수 없었다.

나는 능력 있는 소년이었고, 똑똑했고, 사람들에게 꽤 호감을 샀지만, 굉장히 겁이 많았어. 그리고 무어라 말로 표현할 수는 없지만 막연하게나마 어린아이에게 그런 삶을

살 수밖에 없게끔 낙인을 찍고, 두려움 속에 살도록 내버려
두는 건 매우 부당한 일이라고 느끼고 있었어. 그런데 이
두려움의 근원은 무엇이었을까? 거리와 학교의 연막 뒤에
는 무엇이 감춰져 있었던 걸까? 그리고 2번 연필과 맥락이
없는 동사 변화, 피타고라스의 정리, 악수 나누기, 끄덕이
는 고갯짓이 곧 삶과 죽음을 가르는 차이이고, 세상과 나
사이에 쳐진 커튼이라는 건 또 무슨 뜻이었을까?

많은 사람이 그러는 것과 달리 나는 교회와 교회의 신비
속으로 물러날 수 없었어. 내 부모님은 모든 교리를 거부하
는 분들이셨거든. 우리는 백인이고 싶어 하는 사람들이 떠
들어 대는 휴일을 거부했어. 우리는 그들의 성가를 옹호할
생각이 없었다. 우리는 그들의 신 앞에 무릎을 꿇으려 하지
않았어. 그래서 나는 어떤 정의로운 신이 내 편에 계시다는
생각은 아예 하지 않게 되었지. 〈온유한 사람은 땅을 차지
할 것이다〉라는 성경 구절은 나에겐 아무 의미가 없었다.
온유한 사람은 웨스트볼티모어에서 두드려 맞았고, 월브
루크 교차로에서 짓밟혔고, 파크하이츠에서 얻어맞았고,
시립 교도소 샤워장에서 강간당했다.

내가 우주를 이해하는 방식은 물리적이었고, 그것의 도
덕적 호(弧)는 혼돈을 향해 휘어지다가 결국 궁지에 빠지
고 말았지. 그것이 권총을 꺼내던 작은 눈의 소년, 몸에 잔

뜩 힘을 주고는 다른 아이들을 기억 속으로 추방해 버린 소년의 메시지였다. 두려움이 내 주변 모든 것을 지배하고 있었고, 모든 흑인들이 그랬듯이, 나는 이 두려움이 저기 있는 〈꿈〉, 밤마다 우리 텔레비전 속으로 쏘아 보내지던 걱정 없는 소년들과 파이와 고기 찜과 하얀 울타리와 초록 잔디와 연결되어 있다는 것을 알고 있었다.

그런데 어떻게 연결되어 있었을까? 종교는 내게 말해 줄수 없었다. 학교는 내게 말해 줄 수 없었다. 거리는 내가 매일매일의 쟁탈전 너머를 보도록 도와줄 수 없었다. 그리고 나는 굉장히 호기심 많은 소년이었다. 나는 그렇게 길러졌다. 네 할머니는 내가 겨우 네 살 때 읽기를 가르치셨다. 쓰는 법도 가르치셨지. 여기서 쓰기란 그저 일련의 문장을 조합해 일련의 단락으로 구성하는 걸 뜻하는 게 아니다. 탐구의 수단으로서 문장을 구성하도록 했다는 뜻이야. 내가 학교에서 말썽을 일으키면(그런 일은 종종 있었어), 네 할머니는 그 일에 관해 글을 쓰게 하셨다. 글쓰기는 일련의 질문에 답을 하는 과정이었지. 이를테면, 나는 왜 선생님이 말씀하시는 바로 그 시간에 떠들고 싶은 생각이 들었을까? 나는 왜 선생님이 존경받아야 하는 사람이라고 믿지 않았을까? 나는 내가 말하고 있을 때 다른 사람이 어떻게 행동하기를 바라고 있나? 다음번 수업 시간에 친구들에게 말을 걸고 싶은 마음이 들면 어떻게 해야 할까?

나는 너에게도 이와 똑같은 과제를 주곤 했지. 너에게 그런 과제를 주었던 이유는 그러다 보면 네가 행동을 조심할 거라고 생각해서가 아니라 — 확실히 그 때문에 내 행동이 조심스러워진 건 아니었으니까 — 그렇게 생각하는 것 자체가 가장 초기의 심문 행동, 가장 초기의 자기 의식화 행동이었기 때문이야. 네 할머니가 나에게 가르치고 계셨던 건 교실에서 이렇게 저렇게 행동하라는 규범이 아니었다. 네 할머니는 가장 많은 공감과 합리화를 끌어내는 대상, 바로 〈나 자신〉을 무자비하게 심문하는 방법을 가르치고 계셨던 거야. 그것을 통해 얻은 교훈은 이거였지. 내가 결백하지는 않다는 것. 나의 충동이 확고한 미덕으로 가득 차 있지는 않다는 것. 그리고 내가 여느 누구만큼이나 인간적이라고 느낀다면, 그건 다른 사람들도 마찬가지일 거라는 것. 내가 결백하지 않다면, 그들도 결백하지는 않았지. 그런데 이런 혼합된 동기들이 그들이 말하는 이야기에도 영향을 미쳤을 수 있지 않을까? 그들이 건설한 도시에는? 그들의 주장대로라면 신께서 자신들에게 주셨다는 나라에는?

이제 내 안에서 질문들이 타오르기 시작했어. 조사를 위한 자료는 내 주변에, 네 할아버지가 모은 책이라는 형태로 곳곳에 널려 있었다. 당시 네 할아버지는 하워드 대학교에

서, 세계에서 아프리카 관련 문헌을 가장 많이 소장한 곳으로 꼽히던 무어랜드 스펑언 센터의 조사 사서로 일하고 계셨지. 네 할아버지는 책을 사랑하셨고 지금까지도 책을 사랑하시는데, 집 안 곳곳에 책이 있었어. 흑인에 관한 책, 흑인이 쓴 책, 흑인을 위한 책들이 서가에서 쏟아져 나와 거실까지 넘쳤고, 지하실 상자에 잔뜩 채워져 있었어.

내 아버지는 블랙팬서당[14]의 지역 대표였다. 덕분에 나는 블랙팬서 당원들과 관련된 아버지의 책과 아버지가 챙겨 둔 낡은 당 기관지를 모조리 읽었다. 나는 그들이 가진 총에 매료되었는데, 총은 왠지 정직해 보였기 때문이다. 총은 이 나라를 향해, 폭압적인 경찰력으로 든든히 지켜지는 거리를 발명한 이 나라를 향해, 그것이 지닌 주된 언어 — 폭력 — 로 이야기하는 것 같았어. 그리고 나는 학교가 나에게 제시한 영웅들, 우스꽝스럽게만 보이고 내가 아는 모든 것과 대조적이었던 남녀들과 블랙팬서당을 비교해 보았지.

해마다 2월[15]이면 우리 반 친구들과 나는 민권 운동에 대

14 Black Panther Party. 흑표범당. 1960년대 중반부터 1980년대 초반까지 활동했던 급진적 흑인 민권 운동 단체.
15 미국에서 매년 2월은 링컨의 생일(12일), 흑인 민권 운동가 프레더릭 더글러스의 사망일(20일) 등으로 흑인 역사에서 중요한 달로 기념한다. 1976년에 2월이 〈흑인 역사의 달Black History Month〉로 공식화되었다.

한 의례적인 복습을 하기 위해 떼를 지어 몰려 나가곤 했다. 선생님들은 자유 행진[16] 참가자, 프리덤 라이더스[17], 프리덤 서머스[18] 등의 사례들을 보도록 우리를 다그쳤어. 카메라 속에서 뭇매 맞는 영광에 헌정된 영상들을 보지 않고서는 2월이 지나가지 않는 것 같았지. 그런 다큐멘터리 속의 흑인들은 인생에서 최악의 것을 사랑하는 것 같았어. 그들의 아이를 갈가리 찢어 버린 개들, 그들의 허파를 파고드는 최루 가스, 입은 옷을 찢어 버리고 그들을 거리에 나뒹굴게 만드는 소방 호스를 사랑하는 것 같았지. 자신을 강간하는 남자들이나 자신에게 욕설을 퍼붓는 여자들을 사랑하는 것 같았고, 그들에게 침 뱉는 아이들을, 그들에게 폭탄을 던지는 테러리스트들을 사랑하는 것 같았지.

그들이 왜 이것을 우리에게 보여 주고 있을까? 왜 유독 우리의 영웅들만 비폭력적이었을까? 나는 비폭력의 도덕성을

16 마틴 루서 킹이 이끌었던 1960년대 인종차별 폐지 운동 지지 행진이 대표적이다.

17 Freedom Riders. 1961년 5월, 남부의 인종 분리 정책을 규탄하기 위한 버스 원정대. 흑인 7명, 백인 6명으로 시작해 두 대의 버스를 타고 워싱턴을 출발해 뉴올리언스까지 갈 계획이었으나, 도중에 백인 우월주의자들의 무차별 공격을 받았다. 흑인 민권 운동의 분수령이 된 사건이다.

18 Freedom Summers. 1964년 여름, 7백여 명의 백인 청년 학생들이 여름 방학 동안 흑인 민권 운동을 위해 버스를 타고 백인 우월주의가 팽배한 남부로 향했다. 백인 중산층 출신의 명문대 학생들이 주축이 되어 사회적으로 큰 반향을 일으켰고, 민권법과 흑인투표권법을 이끌어 냈다.

말하는 게 아니라, 흑인들에게 유난히 이런 도덕성이 요구되는 것 같은 느낌을 말하려는 거다. 사실 그때 내가 할 수 있는 거라고는 내가 아는 지식을 가지고 자유를 사랑하는 이 사람들을 평가하는 게 전부였지. 다시 말하면, 세븐일레븐 주차장에서 나오는 아이들에 견주어서, 전선 연장 코드를 휘두르는 부모에 견주어서, 그리고 〈그래, 깜둥이 새꺄, 이제 어쩔래?〉라는 맞폭력에 견주어서 그들을 평가했던 거다. 나는 내가 알고 있던 나라에 견주어서, 살인을 통해 땅을 획득하고 노예제로 그 땅을 길들인 나라에 견주어서, 세계 구석구석으로 군대를 파병해 영토를 넓혀 가는 이 나라에 견주어서 그들을 판단했지.

이 세계, 현실의 세계는 야만적인 수단으로 지켜지고 통치되는 문명이었다. 사회가 그 남녀 영웅들의 가치를 적극적으로 경멸하는 마당에 어떻게 학교가 그 사람들의 가치를 드높일 수 있었을까? 그런 영웅들이 있었다는 걸 그렇게 잘 알면서도 그들은 어떻게 우리를 볼티모어의 거리로 내보내고, 그러고는 비폭력을 말할 수 있었을까?

나는 거리와 학교가 똑같은 야수의 두 팔이라는 걸 이해하게 되었다. 하나는 국가의 공식적인 권력을 누리고 있던 반면 나머지 하나는 암암리에 승인을 누리고 있었지. 그러나 두려움과 폭력은 그 둘 모두가 가진 무기였다. 거리와 패거리들 틈에서 실패하면 그들이 쓰러지는 나를 붙잡아 내 몸뚱이를 빼앗을 터였다. 학교에서 실패하면 나는 정학을 당해 똑같은 그 거리로 돌려보내질 것이고, 거리에서는 그들이 내 몸뚱이를 빼앗을 터였다. 나는 그 두 개의 팔이 관계가 있다는 걸 깨닫기 시작했어. 학교에서 실패한 사람들은 거리에서 그들의 파괴를 정당화해 주었으니까. 사회는 〈그는 학교에 남았어야 했다〉라고 말하고는 그에게서 손을 털면 그만이었으니까.

교육자 개개인의 〈의도〉가 고결했다는 건 중요치 않다. 의도에 관해선 잊어버려라. 어떤 제도나 그 대리인들이 너를 위해 〈의도〉하는 건 부차적인 거란다. 우리의 세계는 물리적이다. 방어하는 법을 배워라 — 머리를 무시하고 몸에서 눈을 떼지 말아야 한다. 미국인들 중에 자기는 거리에 맡겨진 흑인들에게 호의적이라고 대놓고 선언할 사람은 거의 없을 거다. 하지만 〈꿈〉을 지키기 위해서 할 수 있는 모든 걸 하겠다는 미국인은 아주 많겠지. 학교가 실패와 파괴를 인가하기 위해 만들어졌다고 대놓고 선언하는 사람은 아무도 없었다. 하지만 범죄적인 무책임에 의해 만들어지고 유지되는 나라에서 〈개인적 책임〉을 이야기하는 교육자들은 수없이 많았어. 〈의도〉와 〈개인적 책임〉이라는 이 언어의 핵심은 광범위한 면책이야. 숱한 실수가 저질러졌고, 숱한 몸뚱이들이 부서졌고, 사람들은 노예가 되었지. 그럼에도 우리는 선의였다, 최선을 다했다고 말해. 〈선의〉란 역사를 통과하는 통행증이고, 〈꿈〉을 보장하는 수면제일 뿐이다.

학교가 우리에게 들려주는 이야기에 끊임없이 질문하는 건 이제 필수적이라고 느껴졌다. 왜라고 묻지 않는 것, 그러고 나서 또다시 그 질문을 하지 않는 건 잘못인 것 같았다. 나는 이런 질문들을 들고 아버지에게 갔지만, 아버지는 대체로 내게 답을 주기를 거절하셨고, 대신에 더 많은 책을 찾아보게 하셨지. 내 어머니와 아버지는 간접적으로 얻는 답으로부터 항상 나를 밀어냈다. 심지어 당신들이 믿는 답으로부터도 나를 밀어냈지. 내가 조금이라도 만족스러운 나만의 답을 찾아냈는지는 잘 모르겠구나. 하지만 내가 한번 질문할 때마다 질문은 더욱 다듬어졌지. 바로 그게 〈정치적으로 의식이 있다〉고 말할 때 어른들이 의미하는 것 중에서 가장 좋은 거란다. 하나의 존재 상태로서의 일련의 행동, 계속되는 질문, 하나의 의례로서 질문하기, 확실성을 찾아 헤매기보다는 탐색으로서 질문하기 등이 그런 것이지. 몇 가지가 뚜렷하게 보이기 시작했어. 이 나라를 든든히 받치고 있는 폭력, 흑인 민권 운동의 달 동안 눈꼴사나울 만큼 전시되는 그 폭력과 〈그래, 깜둥이 새꺄, 이제 어쩔래?〉 하는 익숙한 폭력이 무관하지는 않다는 거였다. 그리고 이 폭력이 마법처럼 갑자기 나타난 게 아니라 애초 설계된 내용의 일부였고, 그 설계의 결과라는 거였다.

하지만 정확히 그 설계는 어떤 것이었을까? 그리고 왜 그렇게 설계되었을까? 나는 알아야 했다. 벗어나야 했다. ……하지만 벗어나서 어디로? 나는 미친 듯이 책을 탐독했다. 책은 문틈으로 스며들어 오는 햇살이었으니까. 어쩌면 저 문을 지나면 또 다른 세계가, 〈꿈〉을 든든히 받치고서 우리를 틀어쥐고 있는 두려움 너머의 세계가 있을 테니까.

이 강렬한 질문의 시기에 피어나는 의식 속에서 나는 혼자가 아니었다. 1960년대에 뿌려졌다가 많은 사람들에게 잊혔던 그 씨앗이 그 땅에서 새로이 싹을 틔웠고 열매를 맺었다. 맬컴 X, 25년 동안 죽어 있던 그가 생존한 제자들의 작은 모임에서부터 폭발해 이 세계로 돌아온 거야. 힙합 아티스트들은 가사에서 그를 인용했고, 음악 중간중간에 그의 연설을 집어넣기도 하고, 자신들의 뮤직 비디오에 그와 닮은 모습을 내보냈어.

이때가 1990년대 초였다. 그 무렵 나는 부모님의 집에서 지내는 마지막 시기를 맞으면서 바깥세상에서의 내 삶에 관해 고민하고 있었지. 만약 그때 내가 기(旗) 하나를 선택할 수 있었다면, 그 기에는 정장 신사복을 입고 대롱거리는 넥타이를 매고서, 한 손으로는 창문 블라인드를 벌리고, 다른 한 손에는 소총을 든 맬컴 X의 초상화가 수놓여 있었을 거야. 그 초상 사진은 내가 되고 싶었던 모든 것을 말해 주고 있었지. 바로 스스로를 통제할 수 있고 지성적이며 두려움을 넘어선 존재. 나는 맬컴의 연설 「풀뿌리들에게 보내는 전언」, 「투표가 아니면 총탄을」이 담긴 테이프를 노스어배뉴에 있는 흑인 서점 에브리원스 플레이스에서 사다가 워크맨으로 듣곤 했다. 2월의 영웅들 앞에서 내가 느꼈던 모든 고민이 인용할 수 있게끔 증류되어 거기 담겨 있었어. 〈삶을 포기하지 마십시오, 삶을 지키십시오〉 하고 그는 말하곤 했지. 〈그래도 만약 삶을 포기해야만 한다면, 지지는 마십시오.〉 그것은 허세 부리는 게 아니었어. 그것은 무슨 고결한 천사나 만질 수 없는 영혼에 뿌리를 둔 평등이 아니라, 검은 몸뚱이의 존엄성에 뿌리를 둔 평등 선언이었어.

네가 네 목숨을 보존해 온 이유는 너의 목숨, 너의 몸이 다른 어느 누구의 것만큼이나 훌륭하기 때문이야. 너의 피가 보석처럼 값지기 때문이야. 그것을 결코 마법에 팔아서는 안 돼. 알 수 없는 내세에 고무된 흑인 영가(靈歌)에 팔아서도 안 돼. 너의 소중한 몸을 버밍엄[19] 보안관들의 곤봉에 내주어서는 안 되고, 거리의 사악한 중력에 내주어서도

19 1950~60년대 흑인 민권 운동의 중심지였다.

안 된다. 검은 것은 아름답단다. 검은 몸뚱이는 아름다워. 너는 네 검은 머리카락을 고문과 같은 가공 손질과 양잿물로부터 지켜야 해. 검은 피부를 탈색으로부터 지켜야 해. 우리의 코와 입을 현대적 외과 수술로부터 보호해야 해. 우리는 우리의 아름다운 몸 전부이고 따라서 결코 야만인들 앞에 엎드려서는 안 된다. 우리의 고유한 자아를, 하나뿐인 자신을 더럽힘과 약탈에 내주어서는 안 된다.

내가 맬컴을 사랑한 이유는 그는 학교와 달리, 그들이 쓴 도덕성의 가면과는 달리, 거리와 그 거리의 허세와는 달리, 꿈꾸는 〈몽상가〉들의 세계와는 달리 결코 거짓말을 하지 않았기 때문이다. 내가 맬컴을 사랑한 이유는 그는 절대 신비주의적이거나 난해하지 않게, 지극히 평범하게 설명했기 때문이다. 그의 과학이 유령과 신비로운 신들의 행동에 뿌리를 둔 게 아니라 물리적 세계의 작용에 뿌리를 두고 있었기 때문이다. 맬컴은 내가 아는 최초의 정치적 실용주의자였고, 그때까지 내가 들었던 사람들 중 처음으로 정직한 사람이었지. 그는 스스로 백인이라고 믿는 사람들을 그 믿음 속에서 편안하게 하는 일에는 관심이 없었어. 그는 화가 나면 화가 난다고 말했다. 증오가 일면 증오했지. 그건 프로메테우스가 새들을 증오하는 것이 자연스러운 일인 것처럼, 노예화하는 사람을 증오하는 것이 노예화된 사람에게는 인간적인 일이었기 때문이다. 그는 너를 위해 다른 쪽 뺨을 내주려 하지 않았다. 그는 너를 위해 더 나은 사람이 되려 하지 않았다. 그는 너의 도덕률이 되려 하지 않았다. 맬컴은 마치 우리의 상상력을 금지하던 법을 초월한 흑인처럼, 자유로운 사람처럼 말했다.

나는 그를 나와 동일시했어. 그가 학교에 대해 쓰라린 기억이 많다는 것을, 하마터면 거리에 의해 죽임당할 뻔했다는 사실을 알고 있었거든. 하지만 그가 감옥에서 공부하던 중에 자신을 발견했다는 것, 그리고 감옥에서 나왔을 때는 내 몸의 주인은 나라는 듯 당당하게 말하게 해주었던 예의 그 힘을 다시 휘두르게 되었다는 것도 나는 알고 있었어. 〈당신이 흑인이라면, 당신은 감옥에서 태어난 거나 마찬가지입니다〉라고 맬컴은 말했지. 아직 내 몸에 대한 통제력이 없어 학교에서 집으로 걸어오다가 붙잡히지 말아야 했던 그 시절에 내가 피해 다녀야 했던 구역들에서, 나도 그 말의 진실을 느꼈다. 어쩌면 나 역시 자유롭게 살 수 있을 것 같았다. 어쩌면 나 역시 선조들에게 생명을 불어넣었던 예의 그 힘을, 냇 터너,[20] 해리엇 터브먼,[21] 내니,[22] 쿠드조,[23]

20 Nat Turner. 1831년, 버지니아 주 사우스햄턴에서 노예 반란을 일으킨 흑인 노예.

21 Harriet Tubman. 남부에서 노예 생활을 하다 탈출해 남북 전쟁이 일어나기 전까지 노예제 철폐에 앞장섰다.

맬컴 X 속에 살아 있던 바로 그 힘을 휘두르고, 내 몸이 나의 것인 것처럼 말할 수, 아니 행동할 수 있을 것 같았다.

맬컴이 그랬듯 나의 새로운 탄생은 책을 통해, 나만의 공부와 탐색을 통해 이루어질 터였다. 어쩌면 언젠가는 그 결과물을 글로 쓸 날이 올지도 모를 일이었다. 학교의 범위를 넘어서 책을 읽고 글을 쓰는 건 내 평생 해오던 일이었으니까. 이미 나는 형편없는 랩 가사와 형편없는 시를 끼적거리고 있었다. 그 시절의 분위기는 옛것으로 돌아가자는 외침, 본질적인 어떤 것으로, 과거를 떠나 미친 듯 미국으로 달려오면서 두고 왔던 우리의 어떤 일부로 돌아가자는 외침으로 충만해 있었다.

놓쳐 버린 이것, 잃어버린 이 본질이 모든 걸 설명해 주었다. 길모퉁이의 소년들과 〈아기 낳는 아기들〉을, 우리의 망가져 버린 아버지들에서부터 에이즈 바이러스와 마이클 잭슨의 표백된 피부까지 모든 것을 설명해 주었다. 놓쳐 버린 이것은 우리 몸에 대한 약탈과 관련돼 있었다. 우리를 지켜 주는 손과 버팀대인 등뼈와 우리에게 지시하는 머리

---

22 Nanny. 18세기 자메이카의 국민 영웅. 서아프리카에서 자메이카로 식민지 노예로 끌려 왔지만, 노예가 되길 거부하는 무리를 이끌고 식민지 군대와 격렬하게 싸웠다.

23 Cudjoe. 18세기 초중반 활약했던 자메이카의 국민 영웅. 자메이카에서 탈출 노예들을 이끌고 영국 식민지 군대와 싸웠다.

가 우리 것이라는, 우리 자신에 대한 일체의 권리 주장이 모두 논쟁거리가 될 수 있다는 사실과 관련이 있었다.

이때가 백만 인 행진[24]이 있기 2년 전이었다. 나는 거의 날마다 아이스 큐브의 앨범 「사망 진단서Death Certificate」를 들었다. 〈내 삶을 살겠어, 우리가 더 이상 우리 삶을 살 수 없다면, 검은 민족의 해방과 구원을 위해 우리 목숨을 바치자.〉 나는 매주 다큐멘터리 「아이즈 온 더 프라이즈Eyes on the Prize」[25]에서 방영되는 블랙 파워 이야기를 꼬박꼬박 보았다. 나는 내 아버지 세대의 그림자에, 프레드 햄프턴[26]과 마크 클라크[27]의 그림자에 사로잡혀 있었다. 맬컴이 몸으로 보여 준 희생에, 아티카[28]와 스토클리[29]에 사로잡혀 있었다. 내가 그것들에 그렇게 사로잡혀 있었던 이유는 우리가 우리 자신을 그 과거에 내버려 두었다고 믿었

---

24 Million Man March. 1995년 10월 16일, 워싱턴에서 흑인 차별 철폐를 요구하며 열린 대규모 집회.

25 PBS 다큐멘터리로 1954~1985년의 미국 민권 운동과 인종차별 철폐 운동을 다루었다.

26 Fred Hampton. 흑인 민권 운동가. 블랙팬서 시카고 지부장이었으나 경찰에게 죽임을 당했다.

27 Mark Clark. 흑인 민권 운동가, 블랙팬서 당원. 1969년 12월 4일에 프레드 햄프턴과 함께 경찰의 급습으로 사망했다.

28 1971년, 뉴욕의 아티카 교도소에서 수감자들이 정치적 권리와 환경 개선을 요구하며 일으킨 폭동.

29 Stokely Carmichael. 흑인 민권 운동가, 정치가, 전국흑인혁명당 A-APRP 지도자. 〈블랙 파워〉라는 말을 처음 만들었다.

기 때문이야. 코인텔프로COINTELPRO[30]와 흑인들의 외곽 유출, 마약에 의해 우리가 무력화되었다고, 그리고 지금 크랙[31]의 시대에 우리에겐 두려움밖에 남지 않았다고 믿었기 때문이야.

어쩌면 우리는 돌아가야 할는지 모른다. 〈진지하게 하라〉는 외침 속에서 내가 들었던 게 바로 그거였어. 어쩌면 우리는 우리 자신에게로 돌아가야 할는지 모른다. 우리 자신의 맨 처음의 거리로, 우리 자신의 투박함으로, 우리 자신의 거친 머리카락으로. 어쩌면 우리는 메카로 돌아가야 할는지 모른다.

나에게 유일한 메카는, 앞으로도 항상 그렇겠지만 하워드 대학교란다. 나는 여러 번 너한테 이걸 설명하려고 애쓰곤 했지. 너는 무슨 말인지 안다고, 아빠 말을 이해한다고 하지만, 나는 나의 메카 — 성지 메카 — 가 지닌 힘을 네가 사용하는 새롭고도 절충적인 언어로 옮기는 게 가능할지 자신이 없구나. 아니, 굳이 옮겨야 하는지도 확신이 서지 않

30 Counter Intelligence Program의 약칭. FBI가 미국 내부의 저항 정치 세력을 조사하고 파괴하려는 목적으로 만든 프로그램이다.
31 흡연 형태로 흡입하는 강력한 코카인. 한때 크랙 코카인이 흑인 사회를 중심으로 유행하면서 살인 등의 강력 범죄가 크게 증가했다.

는다. 내가 할 일은 내가 걸어온 그 길에 관해 아는 대로 네게 알려 주고, 그렇게 너의 길을 가도록 돕는 거겠지.

내가 내 아버지와 같은 흑인일 수 없었던 것처럼 너 역시 나와 같은 흑인일 순 없다. 그렇더라도 나는 여전히 너처럼 세계주의적인 소년도 거기에서 무언가를 찾을 수 있다고 우기고 싶구나. 심지어 지금과 같은 현대에도, 미국을 휩쓰는 폭풍 속에서 항구를, 어떤 기점을 찾을 수 있을 거라고 말이다. 아무래도 과거에 대한 향수와 전통 때문에 내게 편견이 있는 모양이다.

네 할아버지는 하워드 대학교에서 근무하셨다. 다마니 삼촌과 메넬리크 삼촌, 그리고 크리스 고모와 켈리 고모는 그 학교를 졸업하셨지. 난 거기서 네 엄마를 만났고, 벤 이모부와 커밀라 이모, 차나 이모를 만났다.

난 하워드 대학교에 입학했지만, 나를 형성하고 다듬은 건 바로 메카였다. 이 두 기관은 서로 관련되어 있지만 똑같다고 할 수는 없어. 하워드 대학교는 고등교육 기관으로, LSAT(로스쿨 입학시험), 대학 졸업장, 파이 베타 카파(대학 우등생 모임) 등과 관련이 있어. 하지만 메카는 모든 아프리카계 민족의 검은 에너지를 포착해 집중시키고 그 에너지를 학생들의 몸에 직접 주입하기 위해 만들어진 장치야. 메카가 지닌 힘은 하워드 대학교의 문화유산에서 나오는데, 사실 하워드 대학교는 짐 크로[32] 시기에 재능 있는 흑인들을 독점해서 끌어들이다시피 했지. 그리고 역사적으로 나머지 흑인 학교들 대부분이 남부 연합 수중의 광활한 황야 속 요새들처럼 드문드문 흩어져 있었던 반면, 하워드는 워싱턴 D. C., 곧 초콜릿 시티[33]에 있었고 따라서 연방 정부 세력과 흑인 세력이 모두 가까이 있었어. 그 결과로 나타난 것이 장르와 세대를 막론하고 블랙 디아스포라의 여러 교차로에 포진한 동창생들과 교수진이야. 찰스 드루,[34] 아미리 바라카,[35] 오시 데이비스,[36] 서구드 마셜,[37] 더그 와일더,[38] 루실 클리프턴,[39] 토니 모리슨,[40] 크와메 투레[41] 등등 일일이 열거할 수도 없어.

32 Jim Crow. 원래는 노랫말 속 등장인물의 이름이지만 아프리카계 미국인을 조롱하는 의미로 통용되었다. 이 말에서 따온 짐 크로법은 공공장소에서 흑인과 백인의 분리와 차별을 규정한 법으로, 남부 주를 중심으로 1876년부터 1965년까지 시행되었다. 본문의 짐 크로 시기는 이때를 말한다.

33 흑인이 많이 산다고 해서 붙여진 워싱턴 D. C.의 별칭.

34 Charles Drew. 의사. 수혈용 혈액 보존에 관한 세계적 권위자이다.

35 Amiri Baraka. 흑인 민권 운동가, 시인, 극작가.

36 Ossie Davis. 배우이자 흑인 민권 운동가.

37 Thurgood Marshal. 미국 연방대법원 최초의 흑인 판사. 변호사 시절에 공립학교의 인종분리 정책이 위헌이라는 연방대법원의 판결을 얻어 냈다.

38 Doug Wilder. 버지니아 주 두 번째 흑인 지사이자, 미합중국 재편입 이후 최초의 흑인 지사.

39 Lucille Clifton. 시인이자 작가. 퓰리처상 시 부문에 두 차례 후보로 올랐다.

40 Toni Morrison. 작가, 편집자. 1993년에 소설 『빌러비드Beloved』로 노벨문학상을 받았다.

내가 처음 이 힘을 목격한 것은 〈야드〉에서였어. 캠퍼스 한가운데 학생들이 모이는 그 공동의 녹색 공간에서 나는 검은 내 자신에 관해 내가 아는 모든 것이 수없이 증식해서 무한하게 변주된 듯한 모습을 보게 되었어. 그곳엔 자주색 바람막이를 입고 황갈색 팀스 워커를 신은 민머리의 퀴어들과 과장된 악수를 나누는 깔끔한 정장의 나이지리아 귀족 자제들이 있었지. 그곳엔 오사르-세트[42] 성직자들과 논쟁을 벌이는 아프리칸 감리교 감독교회 설교자들의 황갈색 자손들이 있었지. 그곳엔 무슬림이 되어 히잡을 쓰고 긴 치마를 입고 새롭게 태어난 캘리포니아 소녀들이 있었지. 그곳엔 허황된 꿈을 좇는 사기꾼들, 그리스도교 광신자들과 성막(聖幕) 광신도들, 수학 천재들이 있었지.

이 광경을 보고 있노라면 마치 제각각 다른 색깔과 조성으로 연주되는 백 가지의 서로 다른 「구원의 노래」[43]를 듣는 것 같았어. 그리고 이 모든 것 위에 덧씌워진 것이 바로 하워드의 역사였어. 나는 내가 그 모든 토니 모리슨들과 조

---

41 Kwame Touré. 스토클리 카마이클의 다른 이름. 1969년 미국을 떠나 기니로 갔으며 범아프리카주의 초기 지도자들의 이름을 따서 자신의 이름을 크와메 투레로 바꾸었다.

42 범아프리카 종교 기구. 흑인 공동체를 대상으로 아프리카 기반의 영적 훈련을 제공한다.

43 「Redemption Song」. 자메이카의 전설적인 레게 음악가 밥 말리의 마지막 앨범에 수록된 자유의 노래.

라 닐 허스턴[44]들과 그 모든 스털링 브라운[45]들과 케네스 클라크[46]들의 발자국을 말 그대로 따라 걷고 있다는 걸 알았어. 메카 — 시공을 가로지르는 검은 민족의 그 방대함 — 는 20분만 캠퍼스를 거닐어도 경험할 수 있었어. 나는 프레더릭 더글러스[47] 기념홀 앞에서 저마다 그 단편을 드러낸 학생들에게서 그 방대함을 보았다. 이곳은 무하마드 알리가 학생들의 부모들 앞에서 베트남 전쟁을 거부하며 연설했던 장소이기도 했어. 도니 해서웨이[48]가 한때 노래를 불렀고, 도널드 버드[49]가 한때 자기 악단을 소집했던 아이라 올드리지[50] 극장 옆의 학생들에게서 나는 그 방대함의 서사적 범위를 보았다. 학생들은 각자 색소폰, 트럼펫, 드럼을 가지고 나와 「내가 좋아하는 것들」[51]이나 「언젠가 나

---

44 Zora Neale Hurston. 흑인 민속학자, 작가. 대표작으로는 소설 『그들의 눈은 신을 보고 있었다』가 있다.

45 Sterlin Brown. 교수, 민속학자, 시인, 문학 비평가.

46 Kenneth B. Clark. 심리학자. 흑인으로는 최초로 미국심리학회 회장이 되었다.

47 Frederick Douglass. 해방 노예로 노예제 폐지에 앞장섰고 흑인 최초로 고위 공직에 올랐다. 자서전 『미국인 노예 프레더릭 더글러스의 인생 이야기』(1845)는 미국 흑인 문학의 고전으로 평가받는다.

48 Donny Hathaway. 솔, R&B 가수.

49 Donald Byrd. 재즈 트럼펫 연주자.

50 Ira Aldridge. 배우, 극작가. 주로 영국에서 활동했고 셰익스피어 극장에 청동 명판을 남긴 배우 가운데 유일한 흑인이다.

51 「My Favorite Things」. 1961년 재즈 음악가 존 콜트레인이 발표한 곡.

의 왕자님이 오겠죠」[52] 같은 곡을 연주했다. 나머지 학생 중 몇몇은 얼레인 로크[53] 홀 앞의 잔디밭으로 나와 분홍색과 초록색 옷을 입고 구호를 외치고 노래를 하고 발을 구르고 손뼉을 치며 스텝을 밟고 있었다. 몇몇은 터브맨 쿼드랭글 기숙사에서 룸메이트들과 두 줄 줄넘기를 하기 위해 줄을 가지고 나왔다. 몇몇은 모자를 비뚜름히 쓰고 한쪽 어깨에 배낭을 걸치고 드루 홀에서 나와서는 근사한 암호 같은 비트박스와 라임 속으로 빠져들었다. 여학생 몇몇은 깃대 옆에 벨 혹스[54]와 소니아 산체스의 책이 든 밀짚 가방을 놓고 앉아 있기도 했어.

요루바어로 된 새 이름이 생긴 몇몇 남학생이 프란츠 파농을 인용하면서 그 여학생들의 환심을 사려 했지. 몇몇은 러시아어를 공부했고, 또 몇몇은 골격 실험실에서 연구했다. 그들은 파나마인이었다. 그들은 바베이도스인이었다. 그리고 또 몇몇은 내가 들어본 적도 없는 나라에서 온 학생들이었다. 그러나 그들 모두 치열했고, 대단했고, 비록 우리가 같은 부족 출신일지언정 이국적이기까지 했다.

---

52 「Someday My Prince Will Come」. 1937년 월트 디즈니의 애니메이션 「백설공주와 일곱 난쟁이」에 삽입되었던 재즈 곡.
53 Alain Locke. 작가, 철학자. 할렘 르네상스를 이끌었다.
54 Bell Hooks. 글로리아 진 왓킨스Gloria Jean Watkins의 필명. 미국의 대표적인 흑인 페미니스트로 꼽힌다.

검은 세계가 내 앞에서 확장되고 있었고, 이제 나는 알수 있었어. 세계는 빛을 외면하고 자신이 백인이라고 믿는 사람들의 음주광성(陰走光性)의 세계보다 훨씬 더 크다는 것을. 〈화이트 아메리카〉는 우리 몸뚱이를 지배하고 통제하는 그들의 배타적 권력을 보호하기 위해 구성된 연합체란다. 때로 이 권력은 직접적이지만(린치), 때로는 교활하지(빨간 줄 긋기[55]). 그러나 그것이 어떻게 나타나든지 간에, 지배와 배제의 힘은 자신이 백인이라는 믿음에 중심을 두고 있고, 만약 그 힘이 사라진다면 〈백인〉은 그 존재 근거를 잃고 말 거야.

물론 역사 내내 존재해 왔던 것처럼, 곧은 머리카락과 파란 눈을 가진 사람들은 항상 존재하겠지. 하지만 곧은 머리카락과 파란 눈을 가진 이들 가운데 일부는 〈흑인〉이었는데, 이것이 그들의 세상과 우리 세상 사이의 엄청난 차이를 말해 준단다. 우리의 울타리는 우리가 선택한 게 아니었다. 많은 미국인들이 그랬듯 어떻게든 노예 만들기에 혈안이 되어 있던 버지니아 대농장주들이 우리에게 둘러친 거였어. 바로 그들이 〈흑인〉과 〈백인〉을 갈라놓는 한 방울의 규

---

55 redlining. 흑인이 사는 빈곤층 거주 지역에 대출·보험의 금융 서비스와 소매업 서비스 등을 제공하는 데 제한을 둔 정책을 말한다. 주로 금융과 관련한 투자 경계 지역을 지도에 빨간 펜으로 표시하면서 생긴 말이다.

칙[56]을 내놓았던 사람들이야. 그 규칙이 곧 파란 눈을 가진 자기 아들이 채찍을 맞으며 살게 된다는 걸 의미한다 해도 그들은 아랑곳하지 않았어. 그 결과로 나타난 것이 하나의 민족이란다. 온갖 신체적 변이를 구현하고 자신들의 삶의 이야기로 이 신체적 범위를 반영하고 있는 검은 민족이란다. 메카를 통해 나는 우리가 우리만의 차별적인 국가 안의 세계시민이라는 걸 깨달았어. 블랙 디아스포라는 단지 우리만의 세계가 아니라 아주 여러 면에서 서구 세계 그 자체였던 거야.

그런데 그 버지니아 농장주들의 후손은 도저히 이 유산을 솔직하게 인정하거나 그 유산의 힘을 중요하게 여기거나 할 수 없었지. 그래서 맬컴이 우리에게 지키겠다고 맹세했던 그 아름다움, 검은 아름다움은 영화나 텔레비전, 또는 내가 어릴 때 보던 교과서에서는 결코 찬양되지 않았다. 예수부터 조지 워싱턴까지, 조금이라도 중요한 사람들은 전부 다 백인이었어. 바로 그런 이유에서 네 할아버지 할머니는 타잔과 론 레인저, 하얀 얼굴의 장난감들을 집에서 금지시켰지. 두 분은 흑인에 대해서 항상 〈트리비얼 퍼슈트〉[57]

---

56 one-drop rule. 조상 중에 흑인의 피가 조금이라도 섞여 있으면 흑인으로 간주했던 남부의 제도를 말한다.
57 Trivial Pursuit. 잡학 지식으로 퀴즈를 풀며 승부를 가르는 보드 게임.

부류의 어리벙벙한 방식으로 감상적인 〈최초들〉 ─ 최초의 흑인 5성 장군, 최초의 흑인 의원, 최초의 흑인 시장 ─ 만 들먹이며 이야기하는 역사책에 저항하고 계셨던 거야.

진지한 역사는 서부였고, 서부는 흰색이었다. 이 모든 것은 언젠가 내가 소설가 솔 벨로의 책에서 읽었던 한 문장 속에 농축되어 있었다. 그 글을 언제, 어디서 읽었는지는 기억나지 않는구나. 다만 이미 하워드에 다니고 있을 때였다는 것만 기억난다. 「줄루족의 톨스토이는 누구인가?」[58] 벨로는 그렇게 빈정거렸지. 톨스토이는 〈흰색〉이었고, 따라서 하얗고 〈중요한〉 나머지 모든 것이 그랬듯 톨스토이는 〈중요했다〉. 그리고 이런 관점은 세대를 이어 내려온 우리의 두려움, 그리고 박탈감과 연결되어 있었어. 우리는 눈에 보이는 스펙트럼 너머, 문명 너머에 있는 검은색일 뿐이었다. 우리의 역사가 열등했던 것은 우리가 열등했기 때문에, 다시 말해 우리의 몸뚱이가 열등했기 때문이었지. 그리고 우리의 열등한 몸은 도저히 서부를 건설한 개척자들이 받는 그런 똑같은 존경을 받을 수 없었어. 그렇다면 만약

58 러시아계 유대인 작가 솔 벨로가 어느 인터뷰에서 했다고 알려진 말. 이어지는 말은 이렇다. 「파푸아 사람들의 프로스트는 누구인가? 그들이 톨스토이와 프로스트를 배출한다면 내가 기꺼이 읽어 주지.」 주변문화에 대한 무시와 서구인의 오만함이 배인 벨로의 이 발언은 이후 적지 않은 논쟁을 불러왔다.

에, 우리의 몸이 문명화되고, 향상되고, 어떤 정통 그리스 도교의 쓰임에 맞게 사용된다면 상황이 더 나아졌을까?

이 이론과는 정반대로, 나에게는 맬컴이 있었다. 나에게는 내 어머니와 아버지가 있었다. 나는 잡지 『더 소스*The Source*』와 『바이브*Vibe*』[59]를 꼬박꼬박 읽었지. 단지 흑인 음악을 사랑해서 — 정말 사랑했다 — 만은 아니고 글 자체 때문에도 읽었어. 그레그 테이트, 체어맨 마오, 드림 햄프턴 같은 나보다 몇 살 많지도 않은 작가들이 거기서 새로운 언어, 내가 직관적으로 이해하는 언어를 창조해 우리의 예술, 우리의 세계를 분석하고 있었거든. 그것은 그 자체로 우리 문화의 무게와 아름다움, 다시 말해 우리 몸이 지닌 무게와 아름다움에 대한 하나의 주장이었어. 그리고 이제 나는 날마다 〈야드〉에서, 그저 이론의 문제로서만이 아니라 보여 줄 수 있는 사실로서 그 무게감을 느끼고 있었고 그 아름다움을 보고 있었다. 그리고 이 증거를 세계에 알리고 싶은 생각이 간절했는데, 왜냐하면 검은 아름다움에 대한 대대적인 문화의 삭제가 검은 몸뚱이에 대한 파괴와 밀접하게 연관되어 있다는 걸 — 비록 완전히 알지는 못했지만 — 느꼈기 때문이야.

59 『더 소스』는 힙합 음악, 정치, 문화 등을 다루는 월간지이고, 『바이브』는 주로 도시 힙합 문화 청년들을 독자로 하는 음악 잡지다.

필요한 것은 우리의 투쟁의 렌즈를 통해서 말해지는 새로운 이야기, 새로운 역사였어. 나는 항상 이것을 알고 있었다. 맬컴의 글 속에서 새로운 역사의 필요성을 들어 왔고, 내 아버지의 책에서 그 필요성이 진지하게 다뤄지는 걸 보곤 했지. 그것은 웅장한 제목들 ——『태양의 아이들Children of the Sun』, 『고대 쿠시 제국의 경이로운 에티오피아인들 Wonderful Ethiopians of the Ancient Cushite Empire』, 『문명의 아프리카 기원The African Origins of Civilization』—— 뒤에 놓인 약속 안에 있었어. 우리의 역사는 물론이고, 우리의 고귀한 목적에 맞게 무기화된 세계사가 여기에 있었다. 과거 아프리카 깊은 곳에 살았던 우리들의 톨스토이들이 꾸던 〈꿈〉 ——〈검은 인종〉의 〈꿈〉—— 에 대한 태곳적 형태가 여기에 있었다. 아프리카의 깊은 그곳에서 우리는 오페라를 썼고, 비밀스러운 대수(代數)를 개척했고, 장식적인 벽과 피라미드, 거대 조각상, 다리, 도로 등 당시 내가 문명의 반열에 오르기 위해 하나의 혈통이 마땅히 갖추어야 한다고 생각했던 그 밖의 모든 발명품을 창조했다. 그들에겐 그들의 챔피언이 있었으니, 어딘가에는 우리의 챔피언도 분명 있을 터였다.

그 무렵 나는 우리의 고결한 새 역사의 정전에서 중심이 되는 저자들인 챈슬러 윌리엄스,[60] J. A. 로저스,[61] 존 잭슨[62]

을 이미 읽은 후였어. 그들을 통해 나는 말리 제국의 황제 만사 무사Mansa Musa가 흑인이라는 것을, 이집트의 샤바카Shabaka가 흑인이라는 것을, 아샨티 제국의 야 아샨테와Yaa Asantewaa가 흑인이라는 사실을 알았지. 그리고 〈검은 인종〉이란 아득한 태곳적부터 살아왔던 대단한 존재라고, 실질적이고 중요한 존재라고 생각했어.

내가 하워드에 다닐 때는 챈슬러 윌리엄스의 『검은 문명의 파괴Destruction of Black Civilization』가 나의 성서였다. 윌리엄스 자신도 하워드에서 교편을 잡았었지. 내가 그의 책을 읽은 건 열여섯 살 때였는데, 그의 책은 수천 년에 걸친 유럽인의 약탈을 다룬 대이론을 제시하고 있었어. 그 이론이 내가 골치 아파하던 특정 문제들 — 이것이 민족주의의 핵심이다 — 에 대한 고민을 덜어 주었고, 나에게 나의 톨스토이를 선사해 주었어. 나는 16세기에 중앙아프리카를 다스리면서 포르투갈에 저항했던 은징가 여왕[63]에 관해 읽게 되었지. 그녀가 네덜란드인들과 벌인 협상에 관한

---

60 Chancellor Williams. 사회학자, 역사학자, 작가. 유럽인 접촉 이전의 아프리카 문명에 관한 연구로 유명하다.

61 J. A. Rogers. 자메이카 출신의 미국 역사학자. 아프리카 역사와 아프리칸 디아스포라, 특히 미국 내 아프리카계 흑인들의 역사를 주로 연구했다.

62 John G. Jackson. 범아프리카주의 역사학자, 작가.

63 Queen Nzinga. 훗날 앙골라가 된 은동고와 마탐바 왕국의 여왕. 17세기 포르투갈 식민지인들의 침략에 맞서 싸웠다.

부분이었어. 네덜란드 대사가 그녀에게 앉을 자리를 내주지 않으며 굴욕을 주려 했을 때, 은징가는 자신의 시녀 한명에게 팔다리로 엎드려 인간 의자를 만들라고 명령함으로써 자신의 힘을 보여 주었다. 바로 그것이 내가 찾던 종류의 힘이었고, 우리 왕족에 관한 그 이야기는 나의 무기가되었어. 당시 나의 잠정적인 이론은, 검은 민족은 모두 추방당한 왕들이며, 애초의 백성들이 우리 고유의 이름과 웅대한 누비아 문화로부터 단절되어 버렸지만 원래는 하나의 민족이라는 거였어. 확실히 이것이 내가 야드에서 바라보면서 받은 메시지였다. 어느 곳의 어떤 민족이 우리만큼곳곳으로 뻗어 나갔으며, 우리만큼 아름다웠단 말인가?

나에겐 더 많은 책이 필요했어. 하워드 대학교에서 책이가장 많은 곳을 한때 네 할아버지가 일하셨던 무어랜드-스핑언 연구소에서 찾을 수 있었지. 무어랜드 연구소에는고문서, 서류, 많은 컬렉션들, 그리고 흑인이 썼거나 흑인에 관해 쓰인 사실상의 모든 책이 있었으니까.

나의 메카 시절에서 가장 중요한 기간 동안, 나는 소박한제의를 지키며 지냈단다. 우선 무어랜드의 열람실로 들어가서 세 장의 열람 카드를 작성하고 서로 다른 세 권의 책을 대출한다. 그런 다음 그곳의 기다란 열람실 탁자 하나에자리를 잡고 앉지. 이어서 펜 하나와, 표지에 검정과 흰색이 들어간 작문 연습장 한 권을 꺼낸다. 책을 펼쳐 읽은 내용에 관해 메모를 하고, 새로운 어휘들을 써넣고, 내가 지은 문장으로 작문 연습장을 채워 나가는 거였어. 나는 오전에 도착해서 한 번에 세 권씩, 내가 강의실이나 야드에서 이름을 들었던 모든 작가들의 책을 대출하곤 했어. 래리 닐, 에릭 윌리엄스, 조지 파드모어, 소니아 산체스, 스탠리 크라우치, 해럴드 크루즈, 매닝 매러블, 애디슨 게일, 캐럴라인 로저스, 에더리지 나이트, 스털링 브라운 등등. 모든 삶의 열쇠는 〈흑인 미학Black Aesthetic〉과 〈네그리튀드Negritude(흑인성)〉의 차이를 분명하게 구분하는 데 있다고 믿었던 기억이 나는구나. 정확히 유럽은 어떻게 아프리카의 저개발을 불러왔을까? 나는 알아야 했어. 만약 18왕조의 파라오들이 오늘날 살아 있었다면 그들도 할렘에서 살았을까? 나는 모든 페이지들을 흡입해야 했어.

　나는 통일된 서사, 논쟁의 여지가 없는 역사, 일단 덮개가 열리기만 하면 내가 늘 의심해 왔던 모든 것을 단번에 입증해 줄 역사를 상상하면서 이 조사 작업에 들어갔어. 연막은 걷히리라. 학교와 거리를 조종해 왔던 악당들의 가면은 벗겨지리라. 그러나 알아야 할 것이 너무 많았지. 다루어야 할 지리학이 너무 방대했어. 아프리카, 카리브 해, 아메리카 대륙, 미합중국. 이 모든 지역마다 역사가 있었고,

사방으로 뻗어간 문학 정전들이 있었고, 현장 연구가 있었고, 민족지학이 있었으니까. 어디서부터 시작해야 할까?

문제는 거의 곧바로 드러났어. 발맞추어 행진하는 일관된 전통은 찾을 수 없었고, 대신에 파당들, 파당 속의 파당들밖에 없었던 거야. 허스턴은 휴스와 다투고,[64] 듀보이스는 가비와 싸우고,[65] 해럴드 크루즈는 모든 이와 싸웠어. C. L. R. 제임스[66]라는 거대한 파도와 배절 데이비드슨[67]이라는 소용돌이가 나를 이쪽저쪽으로 내던지고 있었기 때문에 나는 조종할 수 없는 거대한 배의 함교에 서 있는 느낌이었어. 불과 일주일 전에 내가 믿었던 것들, 한 책에서 받아들였던 생각은 또 다른 책에 의해 부서지고 산산조각이 났지. 우리가 우리 아프리카의 유산을 어느 하나라도 보유하기는 했던 걸까? 프래지어[68]는 그 유산은 전부 파괴되었다고, 이 파괴가 바로 우리를 포획한 이들의 극악무도함을

64 조라 닐 허스턴은 친한 시인 친구였던 랭스턴 휴스와 희곡 「노새의 뼈 Mule Bone」를 같이 쓰다가 갈라서게 되었다.

65 흑인 민권 운동가 W. E. B. 듀보이스는 미국 사회 내 흑인들의 수용을 주장한 반면, 마커스 가비는 일종의 순혈 흑인 민족주의를 주장하면서 정반대의 노선을 걸었다.

66 C. L. R. James. 트리니다드토바고 출신의 역사학자, 사회주의 이론가.

67 Basil Davidson. 영국의 역사학자, 아프리카 연구자. 주로 아프리카의 제국주의와 해방 운동을 주제로 책을 썼다.

68 E. Franklin Frazier. 사회학자. 노예 시대부터 1930년대 중반까지 미국 흑인 가정의 발달에 미친 역사적 힘과 영향을 분석한 책 『미국의 흑인 가정』을 썼다.

보여 주는 증거라고 말했지. 반면 허스코비츠[69]는 그 유산은 살아 있다고, 그리고 이것이 우리 아프리카 영혼이 가지는 탄력성의 증거라고 말해. 그렇게 두 번째 해에 접어들 무렵이 되니까 프레더릭 더글러스가 주장한 미국으로의 통합과 마틴 딜레이니[70]의 민족주의로의 도피 사이를 중재하면서 일상적인 하루를 보내는 일이 자연스러워졌지.

어쩌면 그들 모두가 어느 정도는 옳았을 거야. 처음에 나는 하나의 퍼레이드, 대열을 맞춰 행군하는 전사들의 열병식을 찾으려고 왔다. 그러나 그 대신 나에게 맡겨진 것은 선조들의 말다툼, 서로 의견이 다른 무리들이었다. 그들은 때로 함께 행진하기도 했지만 그만큼 자주 서로 거리를 두고 따로 나아갔다.

책을 읽다가 휴식을 취할 때면 나는 거리에 늘어선 노점상으로 걸어갔고, 야드에서 점심을 먹곤 했다. 나는 맬컴을 상상하곤 했다. 감방 안에 몸을 구속당한 채, 책을 파고들면서 인간의 시력을 내주는 대신 비상(飛上)의 힘을 얻었던 그를. 그리고 나 또한 나의 무지함에, 단지 의미만 이해할 뿐 그 이상으로는 아직 이해하지 못하는 질문들에, 나의

69 Melville J. Herskovits. 인류학자. 미국 학계에서 아프리카인 연구와 미국 흑인 연구를 확립했고, 아프리카인과 미국 흑인 간의 연속성을 주장했다.
70 Martin Delany. 노예제 폐지론자, 의사, 작가, 육군 장교로 흑인 민족주의를 주창했다.

이해 부족에, 그리고 하워드 자체에 구속되어 있음을 느꼈어. 어쨌거나 결국 하워드도 학교였던 거다.

나는 많은 것을 추구하고 싶었고 많은 것을 알고 싶었지만, 나에게 자연스럽게 다가왔던 앎의 수단과 교수들의 기대를 조화시킬 수 없었다. 나에게 앎의 추구란 곧 자유였고, 나만의 호기심을 선언하고 온갖 부류의 책을 통해 그 호기심을 좇을 권리였지. 나는 도서관에 어울리는 사람이지 교실에 어울리는 사람이 아니었어. 교실은 다른 사람들의 관심사로 꾸며진 감옥이었다. 그러나 도서관은 활짝 열려 있었고 끝이 없는 자유의 땅이었다. 나는 나 자신을 발견해 가고 있었어. 맬컴의 가장 탁월한 면면들이 길을 가르쳐 주었어. 맬컴은 항상 변화하고 있었고, 궁극적으로 그의 삶의 경계, 그 몸의 경계 바깥에 있는 어떤 진리를 향해 항상 진화하고 있었어. 나는 아직도 내 몸에 대한 온전한 소유를 향해 나아가고 있었을 뿐이지만, 그럼에도 예전에는 상상하지 못했던 어떤 다른 경로를 걷고 있는 나를 느꼈어.

그 탐색에서 나는 혼자가 아니었다. 메카에서 네 이모부 벤을 만났어. 네 이모부도 나처럼, 일상생활이 〈꿈〉과 너무 달라서 설명을 필요로 하던 그런 도시 출신이었지. 네 이모부도 나처럼, 그 골의 성격과 기원을 찾기 위해 메카에 왔던 거다. 건강한 회의주의, 어떻게든 독서를 통해 탈출구를 찾아낼 수 있다는 깊은 믿음을 벤과 나는 공유하고 있었어. 여학생들은 그를 사랑했는데, 마침 사랑받기에는 이곳이 얼마나 좋은 장소였는지! ─ 왜냐하면 하워드 대학교의 야 드만큼 여자들이 아름다운 곳은 지구상 어디에서도 찾을 수 없다고들 했고, 우리도 확실히 그 말이 맞다고 믿고 있 었으니까. 어쨌거나 이조차 탐색의 일부였어. 검은 몸뚱이 의 물리적 아름다움이야말로 역사적·문화적으로 육화된 우리 모두의 아름다움이었으니까.

네 이모부 벤은 삶이라는 여행을 같이하는 동반자가 되 었고, 덕분에 나는 그 길이 얼마나 먼지 아는 흑인들과 함 께하는 여행에는 뭔가 특별한 것이 있다는 사실을 깨달았 어. 그들 역시 나와 똑같은 여행을 했던 거다.

시내에 나가면 강연회에서, 책 사인회에서, 시 낭송회에 서 다른 탐색자들을 발견하곤 했지. 그때까지도 나는 형편 없는 시를 쓰고 있었다. 나는 이 형편없는 시들을 지역 카 페의 공개 낭송회에서 읽곤 했는데, 그 카페에 오는 손님들 대부분은 역시나 자기 몸이 안전하지 않다고 느끼는 시인 들이었어. 이 시인들은 모두 나보다 나이도 많고 현명했어. 그중에는 제법 널리 읽히는 시인도 많았는데, 그들이 전해 준 다음과 같은 지혜는 나와 내 작품에 영향을 미치게 되었 다. 내 몸뚱이를 잃는다고 할 때, 내가 의미하는 것은 구체적으로 무엇일까? 그리고 만약 모든 흑인의 몸뚱이 하나하나가 소중하다면, 만약 맬컴이 옳았고 우리가 우리 삶을 지켜야 한다면, 어떻게 이 소중한 삶들을 그저 하나의 집합적 덩어리로, 약탈이 남긴 무정형의 잔여물로 볼 수 있단 말인가? 어떻게 그 각각의 특정한 광선보다 검은 에너지의 스펙트럼을 더 중요하게 여길 수 있단 말인가? 이것들은 어떻게 쓸 것인가 하는 방식에 관한 주석이었고, 따라서 어떻게 생각할 것인가 하는 방식에 관한 주석이기도 했어.

〈꿈〉은 일반화를 좋아하고, 가능한 질문의 수를 곧잘 제한하고, 즉각적인 답에 특혜를 주는 걸 좋아하지. 〈꿈〉은 모든 예술의 적, 용기 있는 생각의 적, 정직한 글쓰기의 적이다. 이 진실은 미국인들이 스스로를 정당화하기 위해 지어낸 꿈들뿐 아니라, 그 꿈들을 대체하기 위해 내가 불러냈던 꿈들에도 해당된다는 것이 이제 분명해졌지. 그때까지 나는 내가 바깥세상을 비추는 거울이어야 한다고, 문명에 대한 백인들의 주장을 꼭 닮은 복사본을 만들어야 한다고 생각하고 있었다. 그런데 이제 그 주장 자체의 논리를 의심해 봐야 한다는 생각이 들기 시작했던 거야. 어릴 때 어머니가 나에게 요구했던 자기 심문을 그동안 까맣게 잊고 있었던 거지. 아니, 그 심문에 담긴 보다 깊은 의미, 평생 지속될 의미를 여태 이해하지 못하고 있었달까. 나는 그제야 비로소 나 자신의 인간다움을 경계하고, 나 자신의 아픔과 분노를 경계하는 법을 배워 나가고 있었다. 내 목을 짓누른 장화가 고결해지기 쉬운 만큼이나 나를 망상에 빠뜨리기도 쉽다는 걸 아직 깨닫지 못했던 거야.

내가 사랑하기 시작한 예술은 이런 빈 공간 속에, 아직은 알 수 없는 무엇 속에, 고통 속에, 질문 속에 살고 있었어. 나보다 나이 많은 그 시인들은 그 빈 공간에서 에너지를 끌어낸 예술가들 — 버버 마일리,[71] 오티스 레딩,[72] 샘과 데이브,[73] C. K. 윌리엄스,[74] 캐럴라인 포셰[75] — 을 나에게 소개해 주었다. 그 나이 많은 시인들이 바로 에설버트 밀러, 케네스 캐럴, 브라이언 길모어였다. 나로선 너에게 그들의 이름을 말해 주는 게, 그 어떤 것도 나 혼자 이루어 내지는 않았음을 말해 주는 게 중요한 일이란다. 조얼 디아스-포터와 함께 앉아 있던 일이 떠오르는구나. 그는 하워드를 다닌 적은 없었지만, 메카에서 로버트 헤이던[76]의 시 「중간 항로」의 한 행 한 행을 비평하고 있었지. 그때 나는 헤이던이

71 Bubber Miley. 재즈 트럼펫 연주자. 으르렁거리는 취한 듯한 소리로 유명하다.
72 Otis Redding. 〈솔의 왕〉으로 불리는 싱어송라이터.
73 Sam and Dave. 1961~1981년에 활동한 솔과 R&B 듀오.
74 C. K. Williams. 시인. 2000년에 시 「Repair」로 퓰리처상을 수상했다.
75 Carolyn Forché. 시인, 인권 운동가.
76 Robert Hayden. 시인, 에세이스트.

그 시에서 겉보기에는 아주 덤덤하게 말하는 것처럼 하면서 얼마나 많은 것을 말하고 있는지 알고 깜짝 놀랐다. 그는 기쁨이니 고통이니 하는 단어를 한마디도 쓰지 않으면서도 기쁨과 고통을 끌어냈는데, 그게 구호가 아니라 그림을 만들어 내더구나. 헤이던은 중간 항로를 건너오면서 노예가 된 사람들을 노예화시킨 사람의 관점에서 상상했다. 그 자체가 나에게는 마음 여행이었다. 왜 노예화시킨 사람들에게 말할 기회를 허락해야 할까? 그러나 헤이던의 시는 말하지 않았다. 대신 상기시켰어.

> 부라린 눈길로도 그 증오를 꿇릴 수 없고
> 간수들에게 접근하는 그 두려움을 묶어 둘 수 없네

나는 어떤 노예선도 타지 않았다. 아니, 어쩌면 탔을지도 모르지. 왜냐하면 볼티모어에서 내가 느꼈던 많은 것들, 그 날카로운 증오, 죽지 않는 소망, 시간을 초월한 의지, 그 모든 게 헤이던의 작품 안에 있었기 때문이야. 그건 내가 맬컴에게서 들었던 것들이었지만, 결코 그것과 같지는 않았어. 조용하고, 순수하고, 꾸밈이 없었다. 나는 시의 기교를 배워 가고 있었어. 그것은 사실상 내 어머니가 그 옛날에 가르쳐 주셨던 것, 생각하는 기술로서 글쓰기 기교의 집약

판이었어. 시는 진실의 경제를 목표로 하지. 느슨하고 쓸모없는 단어들은 버려야 한다는 얘기야. 나는 이 느슨하고 쓸모없는 단어들이 느슨하고 쓸모없는 생각과 별개의 것이 아님을 깨달았다. 시는 그저 생각을 옮긴 글이 아니었어 — 아름다운 글은 정말로 흔치 않다. 나는 글쓰기를 배우고 싶었다. 궁극적으로 글쓰기란, 여전히 어머니가 가르쳐 주셨던 대로 나 자신의 결백함과, 나 자신의 합리화와 대면하는 일이었지. 시는 정당화의 찌꺼기가 떨어져 나가고 삶의 진실이란 차가운 강철만 남을 때까지 내 생각을 정련하는 것이었어.

이런 진실을 나는 그 도시 곳곳의 다른 시인들의 작품에서 듣게 되었지. 이런 진실은 작고 단단한 것들 — 이모와 삼촌들, 섹스 후의 담배 한 개비, 계단에서 손잡이 달린 유리병에 든 음료를 마시는 소녀들 — 로 이루어져 있었어. 이런 진실은 검은 몸뚱이를 구호 너머로 가져가 거기에 색깔과 질감을 부여했고, 그렇게 해서 내가 야드에서 보았던 그 스펙트럼을, 총이나 혁명에 대해 내가 떠들었던 그 모든 두운법의 글이나 사라진 고대 아프리카의 왕조에 대한 찬가보다도 더 많이 반영하고 있었어. 이런 시들을 읽고 난 후, 나는 시인들이 U 스트리트[77]에서 눈에 띌 때나 어느 카페에 모여 책, 정치, 권투 등 온갖 것에 관해 논쟁할 때마다 따라다녔지. 그들의 논쟁은 내가 무어랜드 열람실에서 발견했던 불화의 전통을 더욱 강화했고, 이제 나는 불일치, 논쟁, 혼돈, 그리고 어쩌면 두려움까지도 일종의 힘이라고 이해하기 시작했어. 나는 무어랜드-스핑언 열람실에서 느꼈던 동요 속에서, 내 머릿속의 혼란 속에서 사는 법을 배우고 있었다. 신경을 갉아먹는 불안감, 혼돈, 지적 어지럼증은 어떤 경종이 아니었다. 그건 횃불이었어.

이제 이런 생각이 들기 시작했어. 내 공부의 요점은 일종의 불편함이라는 것, 내 공부가 나만의 특별한 〈꿈〉을 포상으로 주진 않을 것이며, 오히려 그 모든 꿈, 아프리카와 아메리카와 그 밖의 모든 곳이 가진 모든 위안의 신화를 깨뜨릴 것이며, 그리하여 그 모든 참담함 속에서 나에게 오직 인간다움만 남겨 둘 그런 과정이라고 말이다. 아닌 게 아니라 세상에는, 심지어 우리 사이에도 참담한 일은 너무도 많아. 너는 이걸 이해해야 해.

예를 들면 그 시절에 나는 워싱턴 D. C.의 바로 바깥에 다른 이들 못지않게 자기 몸에 대한 통제권을 쥔 듯 보이는 흑인들이 모여 사는 대규모 거주지가 있다는 걸 알고 있었

77 U Street. 워싱턴 서북부에 연립주택이 늘어선 상업·주거 지역. 1920년대에 할렘에 편입되면서 미국 최대의 흑인 사회 중심지가 되었고, 문화적 전성기에는 〈블랙 브로드웨이〉로 불렸다.

다. 이 거주지가 바로 프린스조지스 카운티야. 현지 사람들은 〈PG 카운티〉라고 하지. 내 눈에 비친 그곳은 매우 부유한 동네였어. 거기 주민들은 똑같은 뒤뜰과 똑같은 욕실이 딸린 똑같은 집, 내가 텔레비전에서 보곤 했던 그런 집을 가지고 있었어. 거기 흑인들은 자신들의 흑인 정치가를 선출했지만, 그런데 내가 알게 된 바로는 이 정치가들이 감독하는 경찰력이 미국의 여느 경찰만큼이나 악랄하더구나.

PG 카운티에 관한 이야기는 나의 세계를 열어 주었던 바로 그 시인들에게서 듣곤 했지. 그 시인들은 PG 카운티 경찰은 경찰이 아니라 사나포선(私拿捕船)의 선원, 폭력배, 총잡이, 법의 탈을 쓰고 활동하는 약탈자에 지나지 않는다고 잘라 말했어. 그 시인들이 내게 그 말을 해준 이유는 내가 내 몸을 보호하기 바랐기 때문이야. 하지만 여기엔 또 하나의 교훈이 있었지. 검고 아름답다는 건 결코 뿌듯해할 문제가 아니라는 거다. 흑인이라고 해서 우리가 역사의 논리나 〈꿈〉의 유혹에서 면제되지는 않는다. 작가는, 내가 되어 가고 있었던 바로 그것은, 모든 〈꿈〉과 모든 민족, 심지어 자신의 민족까지 경계해야 하지. 어쩌면 다른 어느 민족보다 자기 민족을 더 경계해야 할 거야. 그것이 자기 민족이라는 바로 그 이유 때문에.

만약 내가 진정으로 자유롭고 싶다면 민족의 트로피 진

열장 이상의 무언가가 필요하다는 느낌이 들기 시작했는데, 그와 관련해서는 고맙게도 하워드 대학교 역사학과가 있었다. 나의 역사 교수님들은 자네의 신화 탐색은 실패할 수밖에 없네, 자네가 스스로에게 하고 싶어 하는 이야기들은 진실과 들어맞을 수 없네 같은 말 등을 아무렇지도 않게 했지. 실제로 그들은 내가 생각하는 무기화된 역사를 바로잡아 주는 것이 자신들의 의무라고 생각했어. 그들은 예전에도 맬컴 지지자들을 숱하게 봐왔기 때문에 이미 준비되어 있었던 거야. 그들의 방법은 거칠고 직접적이었지.

「검은 피부가 실제로 고귀함을 지니고 있는가? 항상 그런가?」 「그렇습니다.」 「천 년간 노예제를 실시해 오면서 사하라 사막 너머, 나중에는 바다 너머 노예들을 팔아넘긴 흑인들은 뭔가?」 「짓궂은 장난의 피해자들입니다.」 「그들이 바로 문명의 모든 것을 탄생시켰던 흑인 왕들이겠군? 그렇다면 그들은 은하계의 쫓겨난 주인이면서 동시에 탐욕스러운 꼭두각시였단 말인가? 그리고 자네가 〈검다〉고 했을 때 그 의미는 무엇인가?」 「아시잖습니까, 검은색.」 「자네는 그것이 아득한 과거까지 뻗어 있는 시간을 초월한 범주라고 생각하는가?」 「그런데요?」 「단지 색깔이 자네한테 중요하다는 이유로 그것이 항상 그래 왔다고 가정할 수 있는가?」

중앙아프리카를 중심으로 다루는 개관 수업을 들었던

기억이 난다. 담당 교수님인 린다 헤이우드는 마르고 안경을 쓴 분이었는데, 나처럼 선전 선동을 치열한 공부와 혼동하는 젊은 학생들에게 망치처럼 내리치는 강한 트리니다드 억양으로 말씀하시곤 했지. 그분의 아프리카에는 낭만적인 어떤 것도 없었어. 아니 정확히는 내가 이해하는 의미의 낭만적인 것은 없었다고 해야 맞겠지. 그 교수님의 강의는 나의 톨스토이였던 은징가 여왕의 유산까지 거슬러 올라갔다. 나의 트로피 진열장에 놓고 싶은 삶을 살았던 바로 그 여왕 말이야. 그러나 시녀의 등에 앉아 협상을 끌어내던 은징가 여왕 이야기를 할 때, 그 교수님은 어떤 환상적인 광택도 더하지 않았는데, 나는 불시에 일격을 당한 것 같은 느낌이었어. 그 강의실에 있던 사람들과 수세기 전의 그 모든 사람들 가운데서 내 몸은, 누군가의 의지에 따라 부서질 수 있고 거리에서 위험에 처하고 학교에서도 두려움에 떨던 내 몸은, 그 여왕의 몸에 가장 가까이 있는 게 아니라 오히려 시녀의 몸에, 자신이 보아 왔던 모든 것의 상속자인 한 여왕이 앉을 수 있도록 바닥에 엎드려 의자가 된 그 시녀의 몸에 더 가까이 있었던 거야.

나는 1800년 이전 유럽을 훑어보았다. 나는 〈백인〉의 눈을 통해 묘사된 흑인들, 그때까지 내가 보아 왔던 어떤 흑인과도 다른 흑인들, 당당하면서도 인간적으로 보이는 흑인들을 보게 되었지. 알레산드로 데 메디치의 부드러운 얼굴, 보슈가 그린 위풍당당한 흑인 동방박사가 기억나는구나. 16세기와 17세기에 빚어졌던 그 이미지는 노예화 이후 만들어진 이미지, 내가 늘 알고 있던 샘보[78] 캐리커처들과는 대조적이었다. 그 차이는 무엇이었을까? 아메리카가 걸어온 과정을 훑어보던 중에, 똑같이 게걸스럽고 욕심 많고 원숭이처럼 그려진 아일랜드인의 초상을 본 적이 있었어. 어쩌면 세상에는 조롱당하고, 겁에 질리고, 불안에 떠는 다른 몸뚱이들도 존재해 왔는지 모른다. 어쩌면 아일랜드인 역시 한때는 그들의 몸뚱이를 잃어버렸던 건지도 모른다. 어쩌면 〈흑인〉이라는 이름이 붙는다는 건 이런 것과는 아무 관계가 없었는지도 모른다. 어쩌면 〈흑인〉이라는 이름이 붙는다는 건 밑바닥에 있는 존재, 사물이 되어 버린 인간, 천덕꾸러기가 된 사물을 가리키는 것에 지나지 않았는지도 모른다.

이런 깨달음들의 무더기는 묵직했다. 나는 그 깨달음들이 물리적으로 고통스럽고 나를 녹초로 만든다는 걸 알았다. 아니 사실은, 모든 방랑에 따르기 마련인 그 어지럼증,

---

78 Sambo. 주로 남부 흑인을 가리키는 용어. 항상 명랑하게 웃고, 백인 주인의 말에 순종하는 착한 노예를 뜻한다. 1960년대까지도 미국의 교과서에서는 이런 흑인상을 가르쳤다.

그 현기증을 차츰 즐기게 되었어. 그러나 그런 깨달음의 초기에는 끊임없는 모순들이 나를 우울함에 빠뜨렸다. 내 살가죽 안에는 성스럽거나 특별한 게 아무것도 없었고, 내가 검은 건 단지 역사와 문화유산 때문이었으니까. 추락, 속박, 억압받는 삶 속에는 어떤 고귀함도 없었고, 흑인의 피 속에 내재된 의미 같은 것도 전혀 없었다. 흑인의 피는 검지 않았다. 흑인의 피부는 심지어 검지도 않았다. 이제 나는 트로피 진열장을 갖고 싶은 욕구를, 솔 벨로의 기준에 맞춰 살고 싶은 내 욕망을 돌아보게 되었다. 그리고 이 욕구가 하나의 탈출구가 아니라 또다시 두려움이라는 걸 느꼈어. 그건 우주의 창시자이자 상속자라고 이야기되는 그들, 〈그들〉이 옳다는 두려움이었다. 이 두려움이 너무도 깊게 흐르고 있었기 때문에 우리는 문명과 인간에 대한 그들의 기준을 받아들였던 거야.

하지만 우리 전부가 그랬던 건 아니었어. 벨로의 빈정거림에 응답했던 랠프 와일리[79]의 한 에세이를 발견했던 것은 이 무렵이었을 거다. 〈톨스토이는 줄루족에게도 똑같이 톨스토이다〉라고 와일리는 썼다. 그리고 한마디 덧붙였지. 〈만약 인류의 보편적 자산에 울타리를 치고 그 자산을 자

---

79 Ralph Wiley. 스포츠 저널리스트. 미국의 인종에 관한 에세이로 유명하다.

기 부족들만의 소유물로 만드는 게 이익이라고 생각하지 않는다면.〉 사실이 그랬다. 나는 벨로의 전제를 받아들였던 거야. 사실 내가 은징가에 가깝지 않았던 것만큼이나 벨로는 톨스토이에 가깝지 않았어. 그리고 설사 내 쪽이 거리가 더 가까웠다고 해도 그건 DNA에 씌어 있는 운명 때문이 아니라, 내가 그러기로 선택했기 때문이었을 거다. 내가 저지른 중대한 실책은 다른 누군가의 꿈을 받아들였다는 사실이 아니라 꿈에 관한 사실, 탈출의 욕구, 인종주의의 발명품을 받아들였다는 사실이다.

그래도 여전히 나는, 과거의 우리는 중요한 어떤 것이라는 것, 우리가 하나의 부족이라는 것을 알고 있었다. 어찌보면 이 역시 발명된 것이지만 또 그만큼 현실이었다. 그 현실이 바로 저기 야드에 있었지. 봄이 처음으로 따스하게 빛나던 날 모든 분파와 지구, 연맹, 카운티는 물론 방대한 디아스포라의 구석구석에서 거대한 세계 파티의 현장에 각각 대표 한 명씩을 파견 보낸 것 같았던 저 야드에.

욕정과 기쁨으로 색칠된 아웃캐스트[80]의 노래 같았던 그 나날들을 나는 기억한다. 울긋불긋 색을 입힌 민머리에 탱크톱을 입은 남자가 학생회관인 블랙번 건너편에 서서, 근육으로 울퉁불퉁한 어깨에 기다란 보아뱀 한 마리를 걸치

<hr>

80 OutKast. 미국의 힙합 듀오.

고 서 있다. 스톤워싱한 청바지 차림에 가닥가닥 땋은 레게 머리를 뒤로 묶은 자의식 강한 여자는 그를 곁눈질하며 웃고 있다. 나는 의회를 접수한 공화당에 관해서, 또는 힙합의 정전에서 우탱 클랜[81]이 차지하는 위치에 관해 설전을 벌이며 도서관 바깥에 서 있다. 트라이브 바이브 티셔츠를 입은 친구 하나가 걸어와 나에게 주먹치기 인사를 하면, 우리는 그 계절의 흥겨운 축제 — 프리크닉[82], 데이토나, 버지니아 해변 — 에 관해 떠들다가 올해가 우리가 그 축제에 가는 해인지 생각해 본다. 올해는 아니다. 왜냐하면 우리에게 필요한 모든 것은 야드에 있으니까. 우린 여기서 아찔해진다. 왜냐하면 아직도 우리에겐 우리가 태어났던 뜨거운 도시들, 초봄의 나날이 두려움으로 물들어 있던 도시들에 대한 기억이 생생하기에, 그런데 지금 여기 메카에 있는 우리는 두려움 하나 없기에, 우리는 행군하는 검은 스펙트럼이기에.

이것이 내 성인기의 첫 나날들이었다. 혼자 살고, 스스로 요리를 하고, 내키는 대로 오가고, 나만의 방에서 지내고, 그리고 잘하면 이제 내 주변 어디에나 있던 아름다운 여자

---

81 Wu-Tang Clan. 전설적인 힙합 그룹.
82 흑인 대학교 학생들이 중심이 되어 매년 봄 조지아 주 애틀랜타에서 모여 축제를 벌인다. 파티, 야구 경기, 랩 세션, 취업 박람회 등이 열린다.

들 중 한 명과 내 방으로 돌아올 기회가 있었던 나날들. 하워드에서 맞은 두 번째 해에 나는 캘리포니아에서 온 사랑스러운 소녀에게 푹 빠져 있었는데, 당시 그녀는 긴 치마를 입고 머리에 스카프를 두르고서 캠퍼스 위를 떠다니던 버릇이 있었다. 그녀의 커다란 갈색 눈망울, 활짝 웃는 입과 청아한 목소리가 떠오르는구나. 그 봄날에 야드에서 그녀를 보면, 나는 그녀의 이름을 소리쳐 부르고 마치 터치다운을 신호하듯 — 하지만 그보다 더 넓게 — 〈안녕What up?〉의 〈W〉자처럼 양손을 쳐들곤 했어. 이것이 그 시절 우리가 인사하던 방식이었다.

그녀의 아버지는 방갈로르 출신이었어. 「거기가 어디야?」, 「거기 법은 어때?」 난 미처 내 질문의 중요성을 이해하지 못했지. 내가 기억하는 건 나의 무지로구나. 그녀가 손으로 음식을 먹는 모습을 지켜보면서 내가 쓰는 포크가 완전히 미개하다고 느꼈던 일이 떠오른다. 그녀가 왜 그렇게 많은 스카프를 두르고 있는지 궁금해하던 일이 떠오른다. 그녀는 봄방학이면 인도로 떠났고, 돌아올 땐 이마에 빈디를 찍고서, 미소 짓는 인도 사촌들과 찍은 사진을 가지고 왔던 일이 떠오른다. 난 그녀에게 이렇게 말했지. 「깜양, 넌 흑인이야.」 당시 내가 할 수 있는 말은 그게 전부였으니까. 하지만 그녀의 아름다움과 고요함이 내 안의 균형을 깨

뜨려 버렸다. 내 작은 아파트에서 그녀가 나에게 입을 맞추자, 그 순간 바닥이 갈라지면서 나를 삼켜 버렸고, 바로 그 자리에 나를 묻어 버렸다. 그녀를 생각하며 써내려 간 어설픈 시가 얼마나 많았던가. 이제 나는 그녀가 나에게 무엇이었는지 알고 있단다. 그녀는 내가 처음으로 언뜻 보게 된 우주의 다리, 웜홀, 구속당하고 눈먼 이 행성에서 나가는 은하계의 문이었다. 그녀는 다른 세계들을 본 경험이 있었고, 그 검은 몸뚱이의 혈관 속에 찬란하게도 다른 세계의 혈통을 지니고 있었지.

얼마 후 나는 다시 비슷한 방식으로 또 다른 소녀에게 반했다. 레게머리를 치렁치렁 길게 늘어뜨린 키 큰 소녀였어. 거의 백인 일색이던 펜실베이니아의 한 작은 소도시에서 유대인 어머니의 손에서 자란 그녀는 지금 하워드에서 여자들과 남자들을 두루 사귀고 있었는데, 그녀는 단지 자부심 때문이 아니라 마치 그것이 정상인 것처럼, 마치 자신이 정상인 것처럼 그것을 주장했지. 지금 너에게 그런 건 별것 아니겠지만, 나는 자신의 내면 가장 깊은 본능이 시키는 대로 사랑을 하는 사람들을 상대로 일종의 법과 같은 잔인성을 휘두르던 장소, 곧 미국 태생이었어.

나는 아연실색했지. 이게 흑인들이 했던 그런 건가? 그랬다. 그리고 흑인들은 실로 훨씬 더 많이 했다. 긴 레게머리의 그 소녀는 한 남자와 한집에서 동거하고 있었는데, 하워드 교수인 그 남자는 백인 여자를 아내로 두고 있었지. 그 하워드 교수는 남자들과 같이 잤다. 그의 아내는 여자들과 같이 잤다. 그들에게는 지금쯤 대학생이 됐을 어린 아들이 하나 있었어. 〈호모 새끼〉는 내가 평생 사용해 왔던 단어였지. 그런데 지금 여기 눈앞에 그들이 있었다. 〈음모 도당〉이, 〈마녀 모임〉이, 〈타자들〉이, 〈괴물들〉이, 〈아웃사이더들〉이, 〈호모 새끼들〉이, 〈호모 잡년들〉이 모두 인간의 옷을 입고서. 나는 흑인이고 약탈을 당해 왔고 내 몸뚱이를 잃곤 하며 살아왔다. 하지만 어쩌면 나 역시 약탈의 능력을 가지고 있었던 거야. 어쩌면 한 공동체 안에서 자신을 입증하기 위해 나 또한 다른 사람의 몸뚱이를 빼앗게 될지도 모를 일이었다. 어쩌면 벌써 그랬는지도 모르지.

증오가 정체성을 부여한다. 깜둥이, 호모 새끼, 잡년은 경계선을 밝게 비춰 주고, 우리가 아닌 척하는 그것을 비춰 주고, 백인이라는 〈꿈〉, 〈남자〉라는 〈꿈〉을 비춰 준다. 우리는 혐오하는 사람에게 이방인이라는 이름을 붙이고 그렇게 부족 내에서 우리를 확인받는다. 그러나 나의 부족은 내 주변에서 산산조각 나고 있었고 새롭게 형성되고 있었지. 나는 이런 사람들을 자주 만났는데, 그들은 내가 사랑하는 누군가에게는 가족이었기 때문이야. 그들의 평범한 순간들 — 현관벨 소리에 응답하고, 부엌에서 요리하고, 애디나 하워드의 노래에 맞춰 춤을 추고 — 이 나를 습격했고, 인간 스펙트럼에 대한 내 인식을 확장시켜 주었어. 나는 그들의 집 거실에 앉아 그들이 나누는 사적인 농담을 지켜보면서, 마음 한편으로는 그들을 평가하고 있었고, 또 다른 한편으로는 그 변화로 인해 비틀거리곤 했어.

그녀는 나에게 새로운 방식의 사랑을 가르쳐 주었다. 내가 살던 옛집에서 네 할아버지 할머니는 무시무시한 회초리로 다스리셨지. 나는 너에게 다른 방식으로 말하려고 노력해 왔어. 그런 생각은 메카에서 펼쳐진 온갖 사랑의 방식을 보고 시작된 거였지. 그것은 이렇게 시작되었다.

어느 날 아침 나는 가벼운 두통을 느끼며 일어났다. 시간이 갈수록 두통은 심해졌어. 일터로 가는 길에 나는 수업에 들어가는 그 소녀를 만났어. 내 몰골이 처참해 보였는지 그녀는 애드빌 진통제 몇 알을 건네주고는 가던 길을 갔어. 오후가 되자 나는 서 있기도 힘든 상태가 되었다. 나는 상사한테 전화했어. 상사가 도착했을 때 달리 어떻게 해야 좋을지 몰랐던 나는 물품 창고에 누워 있었지. 나는 겁이 났어. 뭐가 어떻게 된 건지 알 수 없었다. 누구한테 전화해야 될지도 알 수 없었고, 그저 펄펄 끓는 몸으로 정신이 반쯤 나간 채 몸이 회복되기만을 바라고 있었어. 내 상사가 문을 두드렸다. 누군가 나를 만나러 왔다는 거야. 그녀였어. 긴 레게머리의 그 소녀는 나를 부축해 거리로 데리고 나갔어. 그녀가 손을 흔들어 택시를 잡았지. 택시를 타고 얼마쯤 갔을까, 나는 달리는 택시 안에서 차 문을 열고 길 위에 토해 버렸다. 하지만 내가 굴러 떨어지지 않게 그녀가 나를 단단히 붙들고 있었고, 그렇게 내가 속을 다 게워 내고 나자 나를 끌어당겼다는 건 기억하고 있다. 그녀는 사람들이 사는 그 집으로, 온갖 방식의 사랑이 가득한 그 집으로 나를 데려가, 나를 침대에 누이고, CD 플레이어에 엑소더스의 시디를 넣고, 속삭이는 소리만큼 볼륨을 줄여 주었어. 그녀는 침대 옆에 양동이 하나를 남겨 두었지. 물 한 병과 함께 말이야. 그녀는 강의실로 돌아가야 했다. 나는 잠이 들었어. 그녀가 돌아왔을 때, 나는 회복되어 있었어. 우리는 식사를 했다. 긴 레게머리의 소녀, 자신이 선택한 어떤 사람과도 같이 자는 소녀, 그것이 곧 자기 몸에 대한 지배권의 선언이던 그 소녀가 거기 있었다. 내가 자라난 집은 사랑과 두려움 사이에 팽팽히 걸쳐져 있었다. 부드러움이 들어설 자리는 없었어. 그런데 긴 레게머리의 이 소녀가 무언가 다른 것을 보여 주었던 거야. 사랑은 부드럽고 이해심이 많을 수도 있다는 것을, 부드럽든 단단하든 사랑은 영웅적인 행동이라는 것을.

이제 나는 어디서 나의 영웅을 찾게 될지 더 이상 예측할 수 없었지. 때때로 나는 친구들과 함께 U 스트리트로 걸어가 지역 클럽에 들르곤 했다. 이때는 배드 보이와 비기,[83]「원 모어 챈스One More Chance」, 「힙너타이즈Hypnotize」가 유행하던 시기였어. 나는 거의 춤을 춘 적이 없었지만, 그만큼 추고 싶기도 했어. 어린 시절 내 몸뚱이에 대해 가지고 있던 어떤 두려움 때문에 나는 몸치였어. 대신 흑인들이 어떻게 몸을 움직이는지, 이런 클럽 안에서 자신의 몸으로 뭐든 할 수 있다는 양 춤을 추는 모습들을 지켜보곤 했어. 그들의 몸은 맬컴의 목소리만큼이나 자유로워 보였다. 밖에 나가면 흑인들은 아무것도 통제하지 못했지. 그 몸뚱이의 운명은 더더욱 말할 것도 없었는데, 그 몸은 경찰에 빼앗길 수도 있었고, 너무나도 헤프게 쓰는 총에 지워질 수도 있었고, 강간당하고, 두들겨 맞고, 감방에 갈 수도 있었어. 하지만 클럽 안에서 한 명당 두 잔씩 돌아가는 럼주와 콜라에 흥이 올라 흐릿한 조명이 거는 주문 아래 힙합 음악에 사로잡힌 그들을 보면, 그들이 모든 스텝과 모든 고갯짓과 모든 회전을 완전히 통제하고 있다는 게 느껴졌다.

그때 내가 바라던 것은 오직 하나, 그 흑인들이 춤추는

83 Bad Boy and Biggie. 배드 보이 레코드사와 래퍼 비기(The Notorious B. I. G.)를 가리킴.

것처럼 통제력과 힘과 기쁨과 따스함을 가지고 글을 쓰는 것뿐이었어. 나는 하워드에서 강의실 안팎을 누볐다. 이제 나는 가야 할 시간이 되었다고, 비록 그 대학교 졸업은 아니라 해도, 메카는 졸업했다고 스스로 선언할 때가 되었다고 느꼈다. 나는 지역의 대안 신문에 음악 비평, 기사, 에세이를 발표하고 있었는데, 이런 활동은 더 많은 인간과 접촉한다는 의미가 있었지. 신문사엔 편집자들 — 교사에 더 가까웠던 — 이 있었고, 그들은 조금이라도 개인적인 수준에서 내가 진정으로 알게 된 첫 번째 백인들이었어. 그들은 내가 짐작했던 것과 달랐어. 나를 두렵게 하지도 않았고 두려워하지도 않았지. 대신에 어디로 튈지 모르는 내 호기심과 부드러움 속에서 소중히 여기고 활용해야 할 무언가를 보았던 거 같아. 그리고 그들은 내게 저널리즘의 기술을, 즉 무언가를 추구하는 사람에게 필요한 막강한 기술을 전해 주었어.

나는 워싱턴 D. C. 지역 신문에 기사를 쓰면서, 사람들이 나에게 무언가를 이야기하려 한다는 것, 한때 나를 표적으로 만들었던 바로 그 부드러움이 이제는 사람들에게 나를 믿고 이야기를 털어놓게 만든다는 것을 깨달았어. 믿을 수 없는 일이었지. 숱한 질문들이 머릿속에서 그냥 죽어 갔던 유년기의 안개를 나는 이제 겨우 벗어났던 거야. 이제 나는 사람들에게 전화하고 질문할 수 있었어. 사람들이 많이 찾던 가게가 왜 문을 닫았는지, 쇼는 왜 취소되었는지, 교회는 왜 그렇게 많고 슈퍼마켓은 왜 그렇게 적은지를. 저널리즘은 나에게 또 다른 탐색의 도구를 주었고, 내 몸을 구속하던 법의 베일을 벗길 또 다른 길을 보여 주었어. 그것이 하나로 합쳐지기 시작하고 있었다. 그때까지도 나는 〈그것〉이 무엇인지 이해할 수 없었지만.

무어랜드에서 나는 역사와 전통을 탐색할 수 있었다. 야드에서는 현실에서 실행되고 있는 그 전통을 볼 수 있었지. 그리고 저널리즘을 가지게 된 나는 사람들에게 그 두 가지를 — 또는 내가 궁금한 어떤 것이든 간에 — 직접 물을 수 있었다. 내 삶에서 너무나 많은 것이 알지 못함에 의해 규정되어 있었어. 나는 왜 세븐일레븐의 주차장에 서 있는 소년들이 총을 꺼내 드는 그런 세상에 살았을까? 내가 아는 모든 부모들이 그랬던 것처럼, 왜 아버지한테는 허리띠를 푸는 일이 당연했던 걸까? 그리고 왜 저기 저곳, 소행성 너머의 다른 세상에서는 삶이 그렇게도 달랐던 걸까? 한때 우리 집 거실로 쏘아 보내졌던 이미지 속의 그 사람들은 내가 하지 않은 어떤 것을 했던 걸까?

나를 바꿔 놓은 긴 레게머리 소녀, 내가 너무도 사랑하고 싶었던 소녀, 그녀는 내가 날마다 생각하고 있고 앞으로도 평생 날마다 생각날 것 같은 한 청년을 사랑하고 있었다. 가끔 나는 그 청년이 만들어진 인물이라는 생각이 들곤 하는데, 어찌 보면 그런 면이 있기도 했다. 왜냐하면 젊은이들이 죽임을 당했을 때에는 가능성으로 열려 있던 모든 것, 그러나 약탈당해 버린 모든 것이 그들에게 후광을 드리우기 마련이니까. 하지만 나는 내가 이 청년, 프린스 존스에게 애정을 가지고 있었다는 사실, 다시 말해 그를 볼 때마다 웃음을 짓곤 했다는 사실을 알고 있었다. 그의 주변에 있을 때면 따스함이 느껴졌고, 우리가 악수를 교환하고 둘 중 한 명이 가야 할 시간이 되면 조금 슬퍼지곤 했으니까.

프린스 존스에 관해 이해해야 할 점은 그가 〈프린스〉라는 본인 이름을 온전히 보여 주었다는 거다. 그는 미남이었다. 큰 키에 갈색 피부였고, 몸은 호리호리하고 미식축구 공격수처럼 힘이 셌지. 게다가 유명한 의사의 아들이었어. 그리스도교인으로 거듭났고, 나는 비록 생각이 달랐지만 그런 그를 존중했다. 또한 친절했지. 그에게선 너그러움이 뿜어져 나왔고, 모든 사람과 모든 것을 부리는 능력이 있는 것 같았어. 실제로 그럴 리는 없겠지만, 굳이 애쓰지 않아도 그런 환상을 불러오는 사람들이 있는데, 프린스가 바로 그런 사람이었다. 나는 내가 본 것, 내가 느낀 것만을 말하고 있는 거야. 세상에는 우리가 완전히 알지는 못하지만,

그래도 우리 마음속의 따뜻한 장소에서 살아가는 사람들이 있다. 그들이 약탈당할 때, 그들이 몸뚱이를 잃어 검은 에너지가 흩어질 때, 그 장소는 상처가 된다.

　나는 메카에서 마지막으로 사랑에 빠졌다. 시카고에서 온 한 소녀의 주문에 걸려 균형을 잃었고 내 소년기 전체가 혼란스러워졌지. 이 소녀가 네 엄마란다. 그녀의 집 거실에서 여러 친구들과 함께 서 있던 우리의 모습이 눈에 선하구나. 나는 마리화나를 채운 시가를 한 손에 들고 다른 한 손에는 맥주를 들고 서 있었다. 나는 시가를 한 모금 빨고는 이 시카고 소녀에게 건넸는데, 그녀의 길고 우아한 손가락이 살짝 스쳤을 때는 그 짜릿함에 약간 몸을 떨었지. 그녀는 진자주색으로 칠한 입술에 시가를 가져가더니 한 모금 빨고는 내뱉었고, 그런 다음 다시 그 연기를 들이마셨다. 이미 일주일 전에 그녀에게 키스를 했지만, 이제 이 연기와 불꽃의 곡예를 지켜보고 있으려니(그리고 벌써 그 연기의 효과를 느끼면서), 나는 이성을 잃고 녹아내리면서 그녀를 안는다는 건 어떤 느낌일지, 그녀의 숨결에 의해 내뱉어지고, 다시 그녀에게 돌아가고, 그녀를 높이 띄우는 건 어떤 느낌일지 알고 싶었어.

그녀는 자신의 아버지가 누군지 몰랐는데, 사실 내가 알고 있던 모든 사람의 절반 이상이 그녀와 같은 처지였다. 당시 나는 그런 남자들, 그 〈아버지들〉이야말로 가장 비열한 겁쟁이라고 생각하고 있었어. 하지만 한편으론 은하계가 부정한 주사위로 게임을 하고 있고, 그 때문에 우리 대열에는 겁쟁이가 넘쳐 난다는 것 또한 느끼고 있었지. 시카고에서 온 그 소녀 역시 그걸 이해하고 있었지만, 그녀는 그보다 더 많은 것까지 이해하고 있었어. 모든 사람이 똑같은 수준으로 자기 몸을 강탈당하지는 않는다는 것, 여성의 몸은 내가 결코 제대로 알 수 없는 방식으로 약탈의 위험에 놓여 있다는 것까지 말이야. 그리고 그녀는 어릴 때부터 외모가 널 구해 주지는 않을 테니 똑똑해지는 게 낫다는 말을 들으며 자랐고, 그렇게 처녀가 되었을 땐 검은 피부의 여자치고는 정말 예쁘다는 말을 들었던 그런 부류의 흑인 소녀였어. 그래서인지 그녀의 모든 면면에는 우주적 부당함에 대한 지식이 깃들어 있었지. 그 옛날 내가 허리띠를 풀던 아버지를 지켜보면서, 우리 집 거실에서 교외에서 날아온 소식들을 지켜보면서, 장난감 트럭과 풋볼 카드를 가진 금빛 머리카락의 소년들을 지켜보면서, 그리고 세상과 나 사이에 놓인 그 거대한 장벽을 어렴풋이 느끼면서 언뜻언뜻 보곤 했던 것과 똑같은 지식이.

우리 사이의 어떤 것도 미리 계획된 것은 없었어 — 심지어 너까지도 그랬다. 네가 태어났을 때 우리는 둘 다 스물네 살이었어. 대부분의 미국인이 아이를 갖는 평균적인 나이였지만, 수업에 둘러싸인 우리는 우리가 곧 십 대 부모나 마찬가지라는 사실을 깨달았지. 사람들은 두려움의 냄새를 풍기며 우리더러 결혼을 계획하고 있는지 종종 묻곤했다. 우리에게 결혼은 다른 여자들, 다른 남자들, 또는 더러운 양말과 설거지의 소모적인 단조로움을 막아 줄 방패로 제시되어 있었지. 하지만 네 엄마와 내가 아는 사람 중에는 결혼하고 난 뒤엔 더 사소한 것을 위해 서로를 포기하는 이들이 너무나 많았어. 다만 우리에게 진실은 항상 네가 우리의 고리라는 거였다. 우리가 너를 우리에게서 밖으로 불러냈지만, 너에게 선택권이 주어졌던 건 아니었지. 그 이유 하나만으로도 넌 우리가 할 수 있는 모든 보호를 받아 마땅했어. 나머지 모든 것은 이 사실에 종속되어 있었다.

이 말이 부담스럽게 들린다고 해도 부담으로 받아들이지 않았으면 한다. 사실 내가 가진 모든 것은 너에게 빚지고 있어. 네가 태어나기 전까지 나는 많은 질문을 품고 있었지만 그 게임에서 내 살가죽을 넘어선 질문은 하나도 없었고, 정말이지 아무것도 아닌 질문들뿐이었다. 나는 아직 인간적인 나약함이 아주 없다고는 할 수 없는 청년에 불과

했으니까. 하지만 이제는 만약 내가 쓰러진다면 나 혼자만 쓰러지는 것은 아닐 거라는 명백한 사실 때문에 나는 현실 감각을 가지게 되었고, 가정에 신경을 쓰게 되었지.

하여간 내가 나 자신에게 했던 말은 이거였다. 내 몸과 내 가족의 몸이 마주하게 될 운명이 내 힘 아래 있다고 믿으니 위안이 된다는 거. 우리 남자들은 아들에게 이렇게 말하곤 한다. 〈남자답게 행동해야 한다. 아기는 누구나 만들 수 있지만 아버지가 되려면 남자가 필요하다.〉 이것이 내 평생 사람들이 나에게 했던 말이다. 그것은 생존의 언어였고, 우리의 남자다움에 상관없이 우리를 찾아와서 인간적 희생에 대처하도록 도와주는 신화였다. 마치 우리의 손이 언제나 우리의 것이었다는 것처럼. 마치 검은 에너지에 대한 약탈은 우리 은하의 중심에서는 일어나지 않는다는 것처럼. 그러나 내가 그것을 볼 생각만 있다면, 약탈은 늘 거기에 있었다.

어느 여름날인가, 나는 네 엄마를 만나러 시카고로 여행을 떠났다. 친구들과 함께 댄 라이언 고속도로를 달리다가 난생처음으로 낡아 빠진 저소득층 공영 주택 단지가 4마일이나 늘어선 스테이트 스트리트 회랑을 보게 되었지. 볼티모어 곳곳에도 공영 주택 단지가 있었지만 여기만큼 광범위한 단지는 아니었다. 그 주택 단지는 마치 거기 사는 사람들만이 아니라 그 지역 전체, 날마다 차를 몰고 그 옆을 지나면서도 그런 것들을 묵인한 채 참고 견디는 통근자들의 거대 도시 전체를 덮치고 있는 도덕적 재난처럼 느껴졌어. 하지만 그 공영 단지에는 온갖 호기심을 가진 나로서도 채 바라볼 준비가 안 되어 있던 훨씬 더 많은 것들을 품고 있었다.

네 엄마가 임신했을 때 한번은 네 외할머니가 우리 집을 방문하신 적이 있었다. 네 외할머니는 분명 충격을 받으셨을 거다. 우리는 델라웨어에 살고 있었다. 우리 집에는 변변한 가구 하나 없었어. 난 학위를 받지 못한 채 하워드를 떠났고, 프리랜서 작가의 쥐꼬리 같은 급료로 생활하고 있었어. 네 외할머니가 머물다 떠나시던 날, 나는 그분을 모시고 공항으로 차를 몰았다. 네가 나에게 외동아들이듯, 네 엄마는 외할머니의 외동딸이었어. 그리고 네가 자라는 모습을 지켜보게 된 지금은, 네 외할머니에게 네 엄마가 그 무엇보다 소중했다는 걸 알고 있단다. 그때 네 외할머니는 내게 이렇게 말씀하셨어. 「내 딸을 돌봐 주게.」 네 외할머니가 차에서 내리셨을 때, 나의 세계는 바뀌어 있었다. 내가 어떤 문턱을 넘어섰구나 하는, 내 인생의 현관을 지나 거실로 들어섰구나 하는 느낌이 들었어. 지나간 모든 것은 다른 삶인 것 같았다. 너 이전에 삶이 있었고, 너 이후에도 삶이 있었지만, 이 이후의 삶에서 너는 내가 한 번도 가진 적 없는 신(神)이었다. 나는 너의 요구에 복종했고, 그런 다음에는 생존보다 더한 무언가를 위해 생존해야 한다는 걸 알았다. 나는 너를 위해 살아 내야 했다.

그해 8월에 네가 태어났다. 나는 메카의 거대한 스펙트럼을 떠올렸어. 벨리즈에서 온 흑인들, 유대인 어머니를 둔 흑인들, 방갈로르 출신의 아빠를 둔 흑인들, 토론토와 킹스턴에서 온 흑인들, 러시아어를 쓰는 흑인들, 스페인어를 쓰는 흑인들, 몽고 산타마리아의 음악을 연주하는 흑인들, 수학에 정통한 흑인들, 골격 실험실에 앉아 있는 흑인들, 노예화의 수수께끼를 파헤치는 흑인들. 메카에는 내가 바랐던 것보다도 더 많은 흑인들이 있었고, 나는 네가 그걸 경험했으면 했다. 온전한 모습을 한 세계는 결코 학교 한 곳에서만은 찾을 수 없고, 거리에서만도 트로피 진열장에서도 찾을 수 없다는 사실을 네가 알았으면 했다. 있는 그대로의 세계 전체를 네가 누렸으면 했다. 〈톨스토이는 줄루족에게도 톨스토이다〉라는 말이 곧바로 너에게 분명하게 이해되었으면 했다. 그러면서 심지어 이런 세계시민적 소망에서도 나는 선조들의 오랜 힘을 느꼈는데, 내 선조들이 만든 메카에서 지식을 얻게 되었기 때문이고, 내 선조들이 했던 투쟁에 의해 내가 메카로 가게 되었기 때문이야.

그 투쟁은 사모리라는 네 이름 속에 들어 있다. 네 이름은 자신의 검은 몸뚱이에 대한 권리를 위해 프랑스 식민주의자들에게 맞서 투쟁했던 사모리 투레[84]에서 따온 거야. 그는 옥중에서 사망했지만 그의 투쟁과 그 비슷한 여러 투쟁이 안겨 준 이득은 우리의 것이고, 종종 벌어지는 일이지만, 심지어 투쟁의 대상이 우리 손을 빠져나갈 때에도 그 이득이 우리의 것임에는 변함이 없어. 나는 내가 결코 선택하지 않았을 민족 사이에서 살면서 그걸 배웠는데, 사실 흑인이라는 특권이 항상 자명하게 드러나는 건 아니란다. 언젠가 데릭 벨[85]이 썼던 것처럼, 우리는 〈우물 밑바닥의 얼굴들〉이다. 하지만 실제로 이 아래쪽에 지혜가 있고, 그 지혜는 내 인생에서 좋은 것들을 많이 가져다주었어. 그리고 여기 아래쪽에서의 삶이 너를 안겨 주었지.

　물론 지혜는 거리에도 있었어. 지금 나는 옛 규칙을 생각해 본다. 한 소년이 다른 누군가의 위험한 동네에 가면 반드시 공격을 받게 되니 소년의 친구들은 소년과 한편에 서야 하고, 그들 모두가 함께 구타당하는 걸 감수해야 한다는 규칙 말이다. 지금 나는 그 규칙 안에 모든 생존의 열쇠가

---

84 Samori Touré. 기니의 무슬림 성직자. 1878년, 서아프리카에 이슬람 제국인 와술루 제국을 세웠고 프랑스 식민주의에 맞서 전쟁을 이끌었다.

85 Derrick Bell. 흑인 최초의 하버드 법대 종신 교수. 비판적 인종 이론을 기초한 사람 중 한 명으로 평가받는다.

있다는 걸 알고 있다. 두 발로 선 채로 싸움을 끝내고 두 주먹을 하늘로 치켜들 거라는 보장은 우리 중 누구에게도 없었어. 우리는 적의 수나 적의 힘을 통제할 수 없었고, 무기도 통제할 수 없었다. 때로는 나쁜 사람한테 그냥 걸려드는 경우도 있었어. 하지만 맞서 싸우든 달아나든 간에 우리가 함께해야 했던 이유는, 바로 그게 우리가 통제할 수 있는 부분이었기 때문이야. 그러나 우리가 결코 하지 말아야 할 것은 자신의 몸뚱이나 친구의 몸뚱이를 기꺼이 넘겨주는 일이다. 지혜란 바로 이거야. 알다시피 우리가 그 거리의 방향을 설계하지는 않았지. 그럼에도 우리는 우리가 걷는 방식을 만들 수 있고, 또 그래야만 해. 바로 그것이 네 이름에 담긴 깊은 뜻이란다. 투쟁은 그 자체로 의미가 있다.

그 가르침은 우리 흑인들에게만 국한되는 건 아니지만, 대량 강간으로 태어난 우리들, 그 조상들이 배로 실려 왔다가 뿔뿔이 나뉘어 보험증서가 되고 주식이 되어 갔던 우리에게는 특별한 의미를 가지는 것 같다. 나는 너를 키우면서 모든 사람을 하나뿐인 유일한 존재로서 존중하도록 가르쳐 왔다. 너는 그런 존중심을 과거 속으로도 확장해 나가야 해. 노예란 막연한 하나의 살덩어리가 아니야. 그것은 노예가 된 특정한 한 여자란다. 그녀의 정신은 너의 정신만큼이나 약동하고, 그녀의 감정은 너의 감정만큼이나 넓어. 그녀는 숲속 어느 특별한 장소에 빛이 내리는 방식을 좋아하고, 가까운 개울의 여울에서 낚시하기를 좋아하지. 그녀만의 복잡한 방식으로 어머니를 사랑하고, 여동생이 너무 큰 소리로 떠든다고 생각하고, 좋아하는 사촌이 있고 좋아하는 계절이 있어. 그녀는 옷을 짓는 데 남다른 손재주가 있고, 속으로는 어느 누구 못지않게 똑똑하고 능력 있다는 걸 알고 있다.

〈노예〉란 자유에 대한 사랑을 목청 높여 선언하고, 그 사랑을 가장 중요한 텍스트에 적어 넣은 세계에서 태어난 바로 그 여자다. 그 세계에서는 바로 이 교수들이 이 여자를 노예로 두고, 그녀의 어머니를 노예로 두고, 아버지를 노예로 두고, 딸을 노예로 두고 있지. 그래서 이 여자가 과거의 세대들을 기웃거린다 해도 보이는 건 전부 노예들뿐이야. 그녀는 더 많은 걸 소망할 수 있어. 자기 손자들을 위해 어떤 미래를 상상할 수도 있어. 하지만 그녀가 죽을 때, 세계—사실상 그녀가 알 수 있는 유일한 세계—는 끝이 난다.

이 여자에게 노예 상태란 하나의 우화가 아니다. 그것은 천벌이다. 영영 끝나지 않는 밤이다. 그리고 그 기나긴 밤이 우리 역사의 대부분을 이루고 있다. 잊지 말아라, 이 나라에서 우리는 자유로웠던 시간보다 노예로 살았던 세월이 더 길었다는 것을. 잊지 말아라, 흑인들은 250년 동안 사슬에 묶인 채 태어났다는 것을 — 앞 세대가 전부 가고 나자 사슬밖에 모르는 더 많은 세대가 뒤를 이었다.

너는 그 모든 뉘앙스와 오류와 인간다움 속의 이 과거를 진정으로 기억하기 위해 싸워야 한다. 신성한 법에 관한 위안의 서사와 억압할 수 없는 어떤 정의를 암시하는 동화를 추구하려는 흔해 빠진 충동에 저항해야 한다. 노예가 되었던 사람들은 네가 걷는 길에 깔린 벽돌이 아니었고, 그들의 삶이 네 구원의 역사를 이루는 장도 아니었다. 그들은 미국인들의 기계를 돌리기 위해 연료가 되었던 사람들이다. 노예 상태는 끝나도록 예정되어 있었던 게 아니며, 우리의 현재 상황 — 아무리 개선되었다고 해도 — 은 자기 자녀를 위해 죽었다는 사후의 고귀한 영광을 결코 요구한 적 없던 사람들의 목숨 값이라고 주장하는 건 옳지 않다.

우리의 승리가 결코 그들의 목숨을 보상할 수는 없다. 어쩌면 우리의 승리는 중요하지 않을지도 모른다. 투쟁만이 우리가 가진 전부일지도 모른다. 역사라는 신은 무신론자이고, 신의 세계에선 그 어떤 것도 의도된 것이 없다. 그러니 너는 매일 아침 눈을 뜰 때마다 명심해야 한다. 깨지지 않는 약속은 없다는 것을. 특히나 아침에 눈을 뜬다는 약속은 더더욱 그렇다는 것을. 이건 절망이 아니야. 우주는 본래부터 이런 것들을 더 선호하지. 명사보다 동사를, 상태보다 운동을, 희망보다 투쟁을 말이다.

더 나은 세상의 탄생이 궁극적으로 너에게 달려 있는 건 아니야. 하지만 날마다 네게 그와는 다른 말을 하는 어른들이 있다는 걸 나는 알고 있단다. 바로 그 어른들의 행동 때문에 세상은 구제를 필요로 하는 거다. 나는 냉소적인 사람이 아니야. 너를 사랑하고, 세상을 사랑하고, 조금씩 발견하는 새로운 모든 것들로 인해 세상을 더욱더 사랑한단다.

하지만 넌 흑인 소년이고, 그러니 다른 소년들이 알 수 없는 방식으로 네 몸에 대해 책임져야 해. 실제로 너는 다른 검은 몸뚱이들이 저지른 최악의 행동들에 대해서, 어떻게든 항상 너에게로 돌려질 그런 행동들에 대해서 책임을 져야 하지. 그리고 힘을 가진 사람들의 몸뚱이에 대해서도 책임을 져야 해 — 곤봉으로 너를 박살 내는 경찰은 너의 은밀한 동작을 보고 금세 구실을 찾아낼 거야. 그리고 이건 단지 너에게만 국한되는 이야기는 아니야. 네 주변의 여자들은 네가 결코 알지 못할 방식으로 자신의 몸에 책임을 져야 하거든. 너는 그 혼돈과 화해해야 하지만, 거짓말을 해서는 안 된다. 그들이 우리에게서 얼마나 많은 것들을 빼앗아 갔는지, 그들이 어떻게 우리의 몸을 가지고 사탕수수, 잎담배, 면화, 금을 만들어 냈는지 잊어서는 안 된다.

2

아미리 바라카

우리의 세상은 소리로 가득하고
우리의 세상은 어느 누구의 것보다 사랑스럽다
그러나 우리는 괴로워하고, 서로를 죽이며
때로는 마음껏 기뻐하지도 못 한다

우리는 아름다운 민족
가면과 춤과 울려 퍼지는 노래로 가득한
아프리카의 상상력을 지니고 있다

아프리카의 눈과, 코와, 두 팔을 가졌지만
우리는 회색 사슬에 묶여 어느 궁전에 뻗어 있다
원하는 건 태양인데, 겨울로 가득한 궁전에서.

네가 태어나기 얼마 전, PG 카운티 경찰이 내 차를 불러 세웠던 일이 있었다. 워싱턴 D.C.의 모든 시인들이 나에게 경고했던 바로 그 경찰 말이다. 그들은 내 차의 양편으로 다가오면서 차창을 통해 플래시를 번쩍번쩍 비추었어. 그러고는 내 신분증을 가지고 순찰차로 돌아갔지. 나는 겁에 질린 채 앉아 있었다. 그때쯤 나는 내 스승들의 경고에 덧붙여, 보도 업무와 신문 기사를 통해 PG 카운티에 관해 배운 게 많았어. 그래서 PG 카운티 경찰이 엘머 클레이 뉴먼[1]을 죽이고는 그가 유치장 벽에 스스로 머리를 들이받아 죽었다고 주장했던 일을 알고 있었지. 그리고 그들이 게리 홉킨스[2]를 총으로 쏘아 죽이고는 그가 경찰의 총을 뺏으려

1 Elmer Clay Newman. 마약 복용 의심자로 경찰에 체포되었지만, 병원으로 후송되지 못하고 수갑을 채운 상태로 유치장에 수감되었다가 1999년 9월 22일 스물아홉의 나이로 사망했다. 경찰은 적절한 조치를 취하지 않고 의도적으로 방치했다는 의심을 받았다.

했다고 말했다는 것도 알고 있었어. 또 프레디 맥컬럼[3]을 한쪽 눈이 실명할 만큼 구타하고는 그건 다 마룻바닥이 내려앉았기 때문이라고 둘러댔다는 것도 알고 있었어. 이 경관들이 정비공들의 목을 조르고, 건설 노동자를 총으로 쏘고, 쇼핑몰 유리문이 부서져라 용의자들을 내던졌다는 보도를 읽은 적도 있었다. 무엇보다 나는 이들이 매우 주기적으로, 마치 보이지 않는 우주의 어떤 시계에 의해 움직이듯이 그렇게 한다는 걸 알고 있었어. 이들은 달리는 자동차를 향해 총을 쏘고, 무기도 없는 사람들에게 총을 쏘고, 등 뒤에서 총을 쏘고는 총격을 당한 건 도리어 자기들이라고 주장한다는 것도 알고 있었다. 이 총잡이들은 조사를 받고 풀려나 곧바로 거리로 돌아갔고, 매우 대담해진 이들은 거기서 다시 총을 쏘곤 했지.

미국 역사의 그 시점에 프린스 조지스 카운티의 경찰만큼 자주 총을 발사하는 경찰은 없었다. FBI는 여러 차례 수사를 벌였지. 때로는 같은 주에서 여러 건의 수사가 동시에 진행되기도 했어. 하지만 경찰서장은 번번이 승진으로 포

---

2 Gary Hopkins. 1999년 11월 27일, 파티에서 돌아가던 중 경찰의 총에 맞아 열아홉의 나이로 사망했다. 경찰은 사건을 은폐하기 위해 거짓 보고를 했다.

3 Freddie McCollum. 1997년 6월 28일, 경찰은 그의 차에 번호판이 없다는 이유로 집에까지 쫓아 들어가 심하게 구타했고, 경찰견을 풀어 물도록 했다. 이 일로 그는 한쪽 눈을 잃었다.

상을 받았어. 그때 내가 차 안에 앉아 그들의 손아귀에 붙잡혀 있는 동안, 이 모든 것이 머릿속에서 재상영되었다. 차라리 볼티모어에서 총을 맞는 게 더 나았을 걸, 그곳엔 거리의 정의가 있었고 누군가는 살인자에게 해명을 요구할 수도 있을 테니까. 그러나 이 경관들은 내 몸뚱이를 손에 쥐고 있었고, 그 몸뚱이를 가지고 내키는 대로 무엇이든 할 수 있었어. 설사 내가 살아서 그들이 내 몸뚱이를 가지고 무얼 했는지 설명한다고 해도, 그런 불평은 아무 의미도 없었을 거야. 경관이 돌아왔어. 그가 면허증을 돌려주었지. 나를 멈춰 세운 이유에 대해선 아무 설명이 없었다.

그러다가 그해 9월에 「워싱턴 포스트」를 집어 들었다가 PG 카운티 경찰이 또 사람을 죽였다는 기사를 보았다. 불현듯 그 사람이 나일 수도 있었다는 생각이 들었고, 그때 겨우 한 달 된 너를 안고 있던 나는, 이제 그런 손실은 나 혼자만의 것이 아니라는 걸 너무 잘 알고 있었지. 헤드라인을 대충 훑고 지나갔다. 그들의 잔혹 행위는 당시엔 너무 흔하게만 여겨졌으니까. 그 이야기가 둘째 날에도 실렸는데, 좀 더 자세히 읽어 보니 살해당한 사람이 하워드 학생이더구나. 어쩌면 내가 아는 사람일지도 모른다는 생각이 들었다. 하지만 더 이상 신경을 쓰지는 않았어. 그리고 셋째 날에는 그 이야기와 함께 사진이 실려 있었는데, 그 사진을 스쳐 지나갔던 내 시선이 다시금 그 사진에 머물렀다. 거기 그가 있었다. 마치 그날 졸업반 무도회라도 있는 것처럼 정장 차림을 한 그가 젊음의 호박(琥珀) 속에 동결되어 있었어. 갸름한 갈색 얼굴, 아름다운 얼굴, 그 얼굴 위로 번진 프린스 카먼 존스의 사람 좋은 함박웃음이 번져 있었다.

그다음 무슨 일이 일어났는지는 기억나지 않는구나. 비틀거리며 뒷걸음질 쳤던 것 같다. 아마 네 엄마한테 내가 읽은 내용을 말해 주었겠지. 긴 레게머리의 그 소녀에게 전화해서 정말 그런 일이 있을 수 있는 거냐고 물었던 것 같다. 그녀가 절규했던 것도 같다. 분명하게 기억나는 건 그때 나의 느낌이다. 분노, 그리고 웨스트볼티모어의 해묵은 중력이 밀려 왔지. 나를 학교로, 거리로, 공허로 몰아넣었던 그 중력 말이다. 프린스 존스는 그 중력을 헤쳐 나왔지만, 그럼에도 그들은 그를 앗아 가버렸다. 이 포획을 어떤 설명으로 정당화하든 한마디도 믿지 못할 거라는 걸 이미 알고 있음에도, 나는 자리에 앉아 그 이야기를 읽기 시작했다.

자세한 이야기는 별로 없었어. 그는 PG 카운티 경찰의 총에 맞았지만 PG 카운티에서 맞은 게 아니었어. 심지어 워싱턴 D. C.도 아닌, 노던버지니아의 어딘가에서 맞은 거였다. 프린스는 차를 몰고 약혼녀를 만나러 가는 길이었어. 그리고 약혼녀의 집에서 몇 야드 떨어진 곳에서 죽임을 당했다. 프린스 존스 살해 현장의 목격자는 살해자 자신뿐이었어. 그 경관은 프린스가 지프차로 자신을 밀어 버리려 했다고 주장했는데, 검찰이 그 말을 믿을 거라는 건 안 봐도 빤한 일이었다.

며칠 후, 네 엄마와 나는 너를 꽁꽁 싸매 차에 태우고 워싱턴으로 달렸고, 커밀라 이모에게 너를 부탁하고는 프린스의 장례식이 열리는 하워드 캠퍼스의 랭킨 예배당으로 갔다. 한때 내가 그 연단에서 설교하던 활동가와 지식인들 ― 조지프 로리,[4] 코넬 웨스트,[5] 캘빈 버츠[6] ― 의 위용에 경탄하면서 앉아 있던 바로 그 건물이었지. 분명 그 장례식에서 수많은 옛 친구들을 만났을 테지만, 정확히 누구를 만났는지 기억나지 않는구나. 기억나는 건 프린스의 종교적 열성을 이야기하던 사람들, 예수가 함께하신다는 그의 한결같은 믿음을 이야기하던 사람들뿐이다.

흐느끼면서 서 계시던 학장님의 모습도 기억난다. 프린스의 어머니 메이블 존스 박사가 아들의 죽음은 그녀에게 교외의 안락한 생활에서 행동으로 나아가라는 부름이라고 말하던 기억도 있다. 프린스 존스를 총으로 쓰러뜨린 그 경

---

4 Joseph Lowery. 목사, 인권 운동가.
5 Cornel West. 철학사, 종교사, 재즈사, 아프로-아메리칸 역사 전공. 저서 『인종 문제 Race Matters』(1993)로 큰 반향을 불러일으켰다.
6 Calvin Butts. 침례교 목사. 뉴욕 주립대 올드 웨스터빌 캠퍼스 학장.

관을 위해 용서를 구하는 여러 사람의 목소리도 들렸다. 이 모든 일에 대한 인상은 희미하게만 남아 있구나. 하지만 나는 내 동족들의 비탄에 잠긴 의식들로부터 항상 굉장한 거리감을 느껴 왔는데, 그때는 그 거리감이 더욱 또렷하게 느껴졌던 모양이다. 그 경관을 용서해야 한다는 말들은 내 마음을 움직이지 못할 것 같았다. 그때에도 나는 프린스가 한 경관에 의해 살해됐다기보다 이 나라에 의해, 그리고 이 나라가 탄생할 때부터 새겨져 있던 모든 두려움에 의해 살해됐다는 걸 미완의 형태로나마 알고 있었기 때문이다.

지금 이 순간 〈경찰 개혁〉의 구호가 유행처럼 여기저기서 들려오고, 공적(公的)으로 지명된 수호자들의 행동이 대통령과 평범한 사람들의 주목을 받고 있구나. 다양성이니 감성 훈련이니, 신체 카메라니 하는 말들은 너도 들어 보았을 거야. 이것들 모두가 훌륭하고 적용 가능한 조치이긴 하지만, 그러면서도 그들은 그 과제의 의미를 축소해서 말하고 있고, 그들의 태도와 시민을 보호하도록 지명된 자들의 태도 사이에는 실제로 거리가 있다는 생각을 은연중에 시민들에게 심어 주고 있어. 그러나 사실 경찰은 그 나름의 모든 의지와 두려움의 측면에서 미국을 반영하고 있다. 그리고 우리가 이 나라의 사법 정책으로 무엇을 만들어 내든지 간에 그것이 억압받는 소수에 의해 도입되었다고 말할 수는 없어. 이런 정책에서 파생되어 왔던 공권력 남용 ─ 계속 뻗어 가는 교도소 국가, 흑인에 대한 임의 구금, 용의자 고문 등 ─ 은 다름 아닌 민주적 의지의 산물이야. 그래서 경찰에 대한 도전은 곧 자기 발생적 두려움으로 무장하고 그 소수를 게토[7]로 보내 버린 미국인들에 대한 도전이 되지. 자신이 백인이라 생각하는 사람들을 도시로부터 〈꿈〉 속으로 도망치도록 밀어붙였던 것도 바로 그 두려움이었어. 경찰 문제는 그들이 파시스트 돼지라는 데 있는 게 아니라, 우리나라가 다수결주의 돼지들에 의해 통치되는 데 있는 거야.

랭킨 예배당에 앉아 있던 그때, 나는 아직 이걸 말로 표현할 수는 없었지만, 그래도 어느 정도는 알고 있었어. 그렇기 때문에 프린스 존스의 살해자를 용서한다는 것이 나와는 관계없는 일로 느껴졌을 거다. 그 살인자는 이 나라의 모든 믿음을 직접 표현했으니까. 그리고 내가 그리스도교 신에 대한 거부감에서 의식을 깨쳤기 때문인지 몰라도, 나는 프린스의 죽음에서 더욱 고귀한 목적이라곤 찾을 수 없었어. 나는 과거에도 그리고 지금도 이렇게 믿고 있어. 우리

---

7 ghetto. 역사적으로는 유대인 거주 구역을 뜻하지만, 요즘에는 소수 민족이 따로 모여 사는 특정 지역을 말한다. 미국에서는 제도화된 차별 정책으로 생겨난 흑인 빈민촌을 지칭한다. 과거 시카고에는 아무리 돈이 많아도 흑인이 백인 동네에 거주하지 못하게 금지하는 제도가 있었다.

의 몸이 곧 우리 자신이고, 내 영혼이 뉴런과 신경을 통해 흐르는 전압이고, 내 정신이 곧 내 살이라고. 프린스 존스는 하나뿐인 유일한 존재였고, 그들은 그의 몸을 파괴해 그의 어깨와 두 팔을 말라비틀어지게 했고, 그의 등을 갈라 버렸고, 허파와 콩팥과 간을 난도질했다. 나는 한 번뿐인 이 삶과 하나뿐인 이 몸만을 믿으면서, 스스로를 이단자라 느끼며 거기 앉아 있었어. 프린스 존스의 몸을 파괴한 범죄에 대해서 나는 용서를 믿지 않았다. 거기 모인 조문객들이 기도하며 고개를 숙일 때, 나는 그들과 분리되어 있었어. 그 공허함이 답을 내주지는 않을 거라고 믿었기 때문이지.

몇 주가 속절없이 지나갔다. 구역질 나는 세부 이야기들이 천천히 새어 나왔지. 그 경관은 소문난 거짓말쟁이였어. 1년 전에도 그는 거짓 증거를 가지고 한 남자를 체포한 적이 있었다. 검찰은 그 경관이 개입된 사건은 모두 기각해야 했지. 그는 강등되었다가 복귀했고, 그런 뒤에는 다시 거리로 나가 자신의 일을 계속했어. 이때쯤 추가적인 보도들을 통해 하나의 서사가 형태를 갖춰 나가기 시작했지.

그 경관은 마약상 같은 옷차림으로 위장하고 있었어. 그가 파견되었던 건 키 165센티미터에 몸무게 113킬로그램인 한 남자를 추적하기 위해서였지. 하지만 검시관은 프린스의 몸이 키 192센티미터에 몸무게는 96킬로그램이라고 했어. 알고 보니 그 남자는 나중에 체포되었더구나. 그 남자에 대한 혐의는 기각되었지. 그 어떤 것도 중요한 게 아니었던 거야. 그러나 우리는 알고 있다, 상관들이 그 경관을 보내 메릴랜드에서부터 워싱턴 D. C.를 거쳐 버지니아까지 프린스를 쫓게 했고, 결국 그 경관은 버지니아에서 프린스에게 여러 발을 쏘았다는 것을. 그리고 그 경관이 배지도 보여 주지 않고 총을 겨눈 채 프린스와 마주했다는 것을. 그리고 그 경관이 프린스가 지프차로 자신을 밀어 버리려 했기 때문에 발사했다고 주장한다는 것을. 더욱이 이 총격 사건의 수사를 책임진 당국이 그 경관에 대한 조사는 하는 둥 마는 둥 하면서 프린스 존스를 조사하는 데 총력을 기울였다는 것을. 이런 조사로도 프린스 존스가 대학에서 야망을 키우다가 왜 갑자기 경찰 살해의 야망을 품게 되었는지 설명해 줄 아무런 정보가 나오지 않았지. 이 경관, 최대한의 권한이 주어진 그에겐 최소한의 책임밖에 없었다. 그는 어떤 죄목으로도 기소되지 않았어. 어느 누구로부터도 처벌받지 않았어. 그는 그대로 자기 일터로 돌아갔다.

몇 번 상상을 해보았어. 프린스가 당했던 것처럼, 내가 범죄자 같은 차림을 한 남자에게 여러 관할권을 가로질러 가며 추적당하는 상상을. 그럴 때면 나는 소스라치게 놀라곤 했는데, 내 가족이 있는 집과 불과 몇 미터 거리에서 그런 남자가 내 앞에서 총을 겨눈다면, 내가 어떻게 할 건지는 잘 알았기 때문이야. 「내 딸을 돌봐 주게.」 네 외할머니의 말씀은 〈자네의 새 가족을 돌보게〉라는 뜻이었어. 그러나 이제 나는 내 돌봄의 한계, 그 힘이 미치는 범위를 알게 되었지. 그 범위는 버지니아 주만큼이나 오래된 적(敵)이 새겨 놓은 것이야. 메카에서 내가 만났던 아름다운 흑인들에 대해 생각해 봤어. 온갖 다양한 변이들, 온갖 머리카락들, 그들의 온갖 언어들, 그들의 온갖 이야기와 출신지, 놀랄 만큼 멋있는 그들의 온갖 인간다움을, 그리고 이 가운데 그무엇도 독특한 우리 세계의 중력과 약탈의 표적이 되는 것으로부터 그들을 구해 줄 수 없음을. 그런데 그때 문득 이런 생각이 들더구나. 너는 도망치려 하지 않을 거고, 너를 위해 계획을 세워 둔 끔찍한 사람들이 있지만 나는 그들을 막을 수 없을 거라는 생각 말이야.

프린스 존스는 내 모든 두려움 중에서도 최상급이었어. 착한 그리스도교인이자 열심히 노력하는 계급의 자손이며 두 배는 더 노력하는 사람들의 수호성인과도 같은 그마저 영원히 속박될 수 있다면, 그러지 않을 수 있는 사람이 어디 있을까? 그리고 그 약탈자는 단지 프린스만 빼앗아 간 게 아니었어. 그에게 쏟아졌던 모든 사랑을 생각해 보렴. 몬테소리 수업과 음악 레슨에 바쳐진 수업료를 생각해 보렴. 그를 풋볼 경기에, 농구 대회에, 리틀 야구 리그에 보내느라 소비된 휘발유와 닳아 헤진 타이어를 생각해 보렴. 밤샘 파티를 통제하느라 소비된 시간을 생각해 보렴. 깜짝 생일 파티들과 낮 시간의 탁아, 그동안 검토했던 베이비시터 추천서들을 생각해 보렴. 『월드 북』과 『차일드 크래프트』를 생각해 보렴. 가족사진을 찍기 위해 서명한 수표들을 생각해 보렴. 방학을 보내기 위해 그었던 신용 카드를 생각해 보렴. 축구공, 과학 재료 세트, 화학 실험 세트, 장난감 자동차 경주 트랙과 모형 기차를 생각해 보렴. 그 모든 포옹, 그 모든 사적인 농담, 관례, 인사, 이름들, 꿈들, 한 흑인 가족이 그 살과 뼈의 그릇에 주입했던 그 모든 공동의 지식과 능력을 생각해 보렴. 그리고 그 그릇이 어떻게 낚아채였는지, 어떻게 콘크리트 위에서 산산조각 났는지, 그리고 거기 담겼던 그 모든 거룩한 내용물과 그에게로 들어갔던 모든 것들이 어떻게 땅으로 도로 흘러갔는지를 생각해 보렴.

아버지가 없던 네 엄마를 생각해 보렴. 아버지에게서 버려졌던 네 할머니를 생각해 보렴. 아버지를 보내고 남겨졌던 네 할아버지를 생각해 보렴. 그리고 이제 프린스의 딸이 어떻게 침통한 그 대열 속으로 끌려가 생득권을 박탈당했는지 생각해 보렴. 그 그릇은 그 아이의 아버지, 25년 사랑의 세월이 넘칠 만큼 찰랑거리고 있었고, 그 아이의 조부모의 투자 자산이었고, 그 아이의 유산이 되어야 했을 그 아버지였단다.

밤이 되어 너를 안고 있으려니 엄청난 두려움이, 우리 미국의 모든 세대만큼이나 폭넓고 압도적인 두려움이 나를 사로잡았다. 이제야 나는 뼈저리게 이해가 갔다. 내 아버지와 그 오랜 만트라 —「내가 녀석을 때리지 않으면 경찰이 녀석을 때릴 거야」— 와 전선들, 전기 연장 코드, 의례적인 회초리까지. 흑인들은 일종의 강박관념을 가지고 자녀를 사랑한다. 너는 우리가 가진 모든 것이고, 너는 위험에 처해서 우리에게 온다. 나는 미국이 만든 그 거리들에 의해 네가 죽는 걸 보느니 차라리 그전에 우리 손으로 너를 죽이고 싶을 것 같구나. 그것이 몸을 잃은 사람들의 철학이다. 아무것도 통제할 수 없고, 아무것도 보호할 수 없는 사람들, 저희 주변의 범죄자뿐 아니라 보호비 명목으로 온갖 도덕적 권위를 누리며 그들 위에 군림하는 경찰까지 두려워하도록 만들어진 사람들의 철학이다.

나는 네가 태어난 후에야 비로소 이 사랑을, 내 손이 으스러져라 꼭 쥐던 내 어머니의 손을 이해할 수 있었어. 내 어머니는 은하 자체가 나를 죽일 수도 있다는 걸, 그래서 나의 모든 것이 산산조각 나서 당신의 모든 유산이 싸구려 포도주처럼 보도 연석 위로 엎질러질 수 있다는 걸 알고 계셨던 거다. 그리고 이 파괴를 해명하기 위해 어느 누구도 불려 오지 않을 거라는 것도 알고 계셨다. 왜냐하면 나의 죽음은 어느 인간의 잘못이 아니라, 〈인종〉이라는 불행하지만 바뀔 수 없는 사실로 인한 잘못이고, 그 사실은 보이지 않는 신들의 불가해한 판단에 의해 어느 결백한 나라에 도입된 것이니까. 지진을 소환할 수는 없는 법이다. 태풍이 기소되었다고 해서 굽히지는 않는 법이다. 그들이 프린스 존스의 살인자를 일터로 돌려보낸 건 그가 결코 살인자가 아니었기 때문이다. 그는 자연의 힘이었고, 우리 세계를 지배하는 물리적 법칙의 힘없는 대리자일 뿐이었다.

이 전체 사건이 당시 나를 두려움으로부터 내 안에서 타오르고 있던 분노로 이끌었고, 지금도 나를 살아 움직이게 한다. 앞으로 평생 동안 나를 불 위에 내버려 둘 것 같구나. 그래도 나에겐 저널리즘이 있었어. 그 순간 나의 반응은 글을 쓰는 것이었다. 그거라도 가지고 있었다는 건 행운이었지. 우리 대부분은 우리를 희화화한 해석을 단숨에 들이켜고 그것에 미소를 짓도록 강요받곤 한다. 나는 프린스 조지 카운티 경찰의 역사에 관해 글을 썼다. 그때까지 나에게 그렇게 중요하게 느껴졌던 일은 없었어. 처음 글을 쓰기 시작할 때 내가 알고 있던 내용은 이런 거였다. 프린스 존스를 죽인 경관은 흑인이었다. 그 경관에게 죽일 권한을 부여했던 정치가들도 흑인이었다. 그러나 흑인 정치가들 중 다수가, 두 배는 잘해 내는 이들 중 다수가 별로 개의치 않는 것 같았다. 어떻게 그런 일이 가능할까? 나는 마치 거대한 수수께끼의 부름을 받고 다시 무어랜드에 와 있는 듯한 기분이었다. 하지만 그때쯤 나에겐 어떤 열람 카드도 필요 없었지. 인터넷이 조사의 도구로 만개해 있었으니까. 이 말이 너에겐 신기하게 들릴 거야. 너는 이때껏 궁금한 게 있을 때마다 언제든 그 질문을 키보드에 타이핑하고, 테두리에 어느 회사 로고가 그려진 직사각형 공간에서 그 질문이 나타나는 걸 지켜보고는 불과 몇 초 만에 잠재적인 답의 홍수에 실컷 빠질 수 있었으니까. 하지만 나에겐 아직도 그런 기억이 있다. 타자수들이 쓸모 있던 시절, 코모도어 64[8]가 탄생하던 여명기, 좋아하는 노래가 라디오에서 한창 전성기를 누리다가 완전히 종적을 감춰 버리곤 하던 시절의 기억 말이야. 메리 제인 걸스의 노래 「올 나이트 롱All Night Long」은 아마 5년 동안 한 번도 못 들었던 것 같다. 나 같은 젊은 사람에게 인터넷의 발명은 우주여행의 발명이었어.

프린스 존스 사건을 통해, 내 호기심은 신문 스크랩, 역사, 사회학의 세계로 새롭게 뻗어 갔다. 나는 정치가들에게 전화해서 질문을 했다. 그들은 말했지, 시민들은 십중팔구

8 코모도어 인터내셔널이 1982년에 내놓은 8비트 가정용 컴퓨터.

공권력의 잔인성에 불평하기보다 경찰에 대한 지지를 요청할 거라고. 또 말했지, PG 카운티의 흑인 시민들은 안정을 누리고 있으며 범죄에 대해서는 〈어떤 조급증〉을 가지고 있다고. 예전에 무어랜드 도서관에서 조사하면서 흑인 공동체 안팎에서 벌어진 다양한 싸움을 훑어볼 기회가 있었다. 그때도 이와 같은 이론들을 본 적이 있었어. 우리 주변에 불쑥불쑥 솟아나는 교도소를 정당화하고, 게토와 공영 주택 단지 조성을 주장하고, 흑인의 몸에 대한 파괴를 질서 유지에 부수되는 우발적인 사건으로 보는 이 이론들을. 흑인들조차 이 이론들을 입에 담곤 하는데, 이 이론에 따르면 〈안전〉이 정의보다 상위의 가치였어. 어쩌면 가장 높은 가치였겠지. 이해가 가더구나. 옛날 볼티모어에 살 때, 내가 집에서 학교까지 오가는 길에 내 나라와 내 지역의 경찰과 요원들이 줄을 지어서 순찰을 돌기만 한다면 더 이상 바랄 게 없었으니까!

그러나 그런 경찰은 없었지. 경찰이 보일 때면 그건 이미 뭔가 잘못되었다는 걸 뜻했어. 그러는 중에도 나는 그런 사람들이 있다는 걸, 〈꿈〉 속에 살면서 대화의 내용도 우리와는 다른 사람들이 있다는 걸 알고 있었다. 그들의 〈안전〉은 학교에, 자산 포트폴리오에, 마천루에 있었지. 우리의 안전은 총을 가진 사내들에게 있었어. 그들은 그들을 보낸 사회와 똑같은 경멸의 눈빛으로 우리를 바라볼 수밖에 없었지.

안전이 없으면 은하에 대한 의식이 제한되지. 그건 어쩔 수 없는 일이야. 이를테면 내 경우는 뉴욕에 살 수 있다거나, 심지어 그렇게 되길 바란다는 건 아예 생각도 못 했지. 나는 볼티모어를 무척 사랑했어. 찰리 루도 매장을 사랑했고 몬도민 몰의 노상 할인 판매를 사랑했다. 프랭크 스키[9]가 「프레시 이즈 더 워드Fresh Is the Word」를 들려주기를 기다리며 네 다마니 삼촌과 함께 현관 밖에 앉아 있던 순간을 사랑했다. 난 항상 대학을 마치면 집으로 돌아가는 게 당연하다고 생각했어. 하지만 그건 단지 내가 집을 사랑해서가 아니라 나로선 다른 선택을 거의 상상할 수 없었기 때문이야. 발육이 막힌 그 상상력은 나를 묶은 사슬 때문이었지. 그래도 우리 중에는 더 많은 것을 보는 사람들이 실제로 있단다.

나는 메카에서 그런 사람들을 많이 만났다. 네 이모부 벤도 그런 사람이었지. 뉴욕에서 자란 그는 자신을 아이티인, 자메이카인, 하시드 유대인, 이탈리아인들 사이를 항해하는 미국 흑인으로 이해했어. 그 도시가 그걸 강요했지. 그리고 벤 같은 사람들은 또 있었어. 어느 교사나 고모, 이모, 형의 격려를 받으며 어릴 때 담장 너머를 엿보았고, 어른이

9 Frank Ski. 저널리스트, 라디오 프로그램 진행자.

되어서는 풍경 전체를 볼 수 있었던 사람들이 그들이다. 이 흑인들은 나처럼 한 번의 변덕으로 순식간에 자기 몸을 빼앗길 수 있다는 걸 느끼고 있었지만, 이것은 그들에게 우주 속으로의 비행을 독려했던 다른 종류의 두려움을 심어 주었어. 그들은 해외에서 여러 학기를 보냈다. 나는 그들이 무엇을 했는지, 또는 왜 그랬는지 전혀 알지 못했어. 하지만 항상 내가 너무 쉽게 굴복하고 있다는 건 느끼고 있었던 것 같아. 어쩌면 그것이 내가 사랑했던 모든 소녀들을 설명해 주는 건지도 모르지. 사실 내가 사랑했던 소녀들은 모두 다른 어디론가 연결되는 다리였으니까.

네 엄마, 나보다도 세계를 훨씬 많이 알고 있었던 그 소녀는 문화를 통해 「결혼 소동Crossing Delancey」, 「티파니에서 아침을」, 「워킹 걸Working Girl」, 나스[10]와 우탱[11] 등을 통해 뉴욕과 사랑에 빠졌지. 네 엄마는 뉴욕에서 직장을 얻었고, 나는 거의 무임승차하듯 네 엄마를 따라갔어. 당시 뉴욕에는 글을 쓰라며 나에게 한 푼이라도 내주는 사람이 아무도 없었거든. 앨범 하나, 책 한 권에 대한 비평을 쓰고 내가 받은 푼돈이 얼마나 적었는지, 매년 두 번의 전기 요금을 충당하는 정도밖에 안 됐어.

10 Nasir Bin Olu Dara Jones. 래퍼, 음반 프로듀서.
11 Wu-Tang Clan. 뉴욕을 중심으로 1992년에 결성된 힙합 그룹.

우리가 뉴욕에 도착하고 두 달쯤 지난 때가 2001년 9월 11일이었어. 아마 그날 뉴욕에 있었던 사람은 모두 저마다 사연이 있을 거야. 내 이야기를 해보마. 그날 저녁에 나는 네 엄마와 너의 차나 이모, 그리고 그녀의 남자 친구 자말과 함께 아파트 건물 옥상에 있었다. 그렇게 우리는 옥상에서 이야기를 나누다가 그 장면을 보았어. 맨해튼 섬을 뒤덮어 버린 거대한 연기 기둥 말이다. 누구든 한 다리만 건너면, 아는 사람이 실종되었다는 누군가를 알고 있었다. 하지만 아메리카의 폐허를 굽어보는 내 마음은 냉랭했다. 나에겐 나만의 재앙이 있었으니까. 프린스 존스를 죽인 경관은, 지독한 경계심을 갖고 우리를 대하는 모든 경관들과 마찬가지로 미국 시민의 칼이었다. 나는 어떤 미국 시민도 순수하다고 여길 생각이 없었다. 그 도시에 동조할 수가 없었다. 나는 계속해서 남부 맨해튼이 어떻게 줄곧 우리의 그라운드 제로가 되었는가를 생각하고 있었어. 그들은 바로 거기서 우리의 몸을 경매에 붙였지. 파괴된 바로 그곳, 어울리는 이름이 붙은[12] 금융 지구에서 말이야.

한때 그곳에는 거기서 경매로 팔려 나간 이들을 위한 묘지가 있었다. 그들은 묘지의 한쪽 위에 백화점 건물을 세웠

---

12 맨해튼Manhattan이라는 지명은 〈언덕이 많은 섬〉이라는 뜻을 가진 델라웨어족의 말인 Manna-hata에서 유래했다고 한다.

는데, 또 다른 쪽 위에는 정부 건물을 올리려고 했어. 올바른 생각을 가진 흑인 공동체 하나가 유일하게 나서서 그들을 저지했지. 나는 이 가운데 무엇으로도 앞뒤가 맞는 이론을 만들어 낼 수 없었다. 하지만 빈 라덴이 이 도시의 그 구역에 공포를 안겨 준 첫 번째 인물이 아니라는 것만은 알고 있었지. 난 그 사실을 한 번도 잊은 적이 없단다. 너도 잊어선 안 되고. 며칠이 지나는 동안, 나는 깃발들, 남성미 넘치는 소방관들, 잔뜩 힘이 들어간 슬로건들이 펼치는 우스꽝스럽고 허세 넘치는 구경거리를 가만히 지켜보았다. 빌어먹을. 프린스 존스는 죽었는데. 우리에게 두 배는 잘하라고, 우리를 쏜 건 중요한 문제가 아니라고 말하는 사람들은 지옥에나 가라지. 흑인 부모들을 공포에 몰아넣은 조상 대대로의 두려움은 지옥에나 가라지. 성스러운 그릇을 박살 낸 사람들은 지옥에나 가라지.

나는 프린스 존스를 죽인 경관과, 사망한 경관과 혹은 사망한 소방관 사이에 어떤 차이가 있는지 알 수 없었다. 나에게 그들은 인간이 아니었다. 흑인이건 백인이건 또는 무엇이건 간에, 그들은 자연의 위협이었다. 그들은 아무 정당한 이유 없이 내 몸을 산산조각 낼 수 있는 불이었고, 혜성이었고, 폭풍이었다.

프린스 존스를, 완전한 모습으로 살아 있는 그를, 마지막으로 한 번 보았다. 그는 내 앞에 서 있었지. 어느 박물관 안이었어. 그 순간에 나는 그의 죽음이 그저 끔찍한 꿈이었던 것처럼 느껴졌지. 아니, 그건 불길한 예감이었다. 하지만 나에겐 아직 기회가 있었어. 그에게 경고할 생각이었다. 난 그에게 다가가서 주먹을 치며 인사했고, 그 스펙트럼의 열기, 메카의 온기를 느꼈어. 나는 그에게 무언가를 말하고 싶었다. 이야기하고 싶었다. 약탈자들을 조심하라고. 그러나 내가 입을 연 순간, 그는 그저 고개를 젓고는 멀어져 가 버렸다.

우리는 브루클린의 어느 지하 아파트에 살았다. 네가 기억할지 모르겠지만, 벤 이모부와 그 아내 자나이 이모가 사는 집에서 길 아래쪽에 있는 아파트였지. 그 무렵엔 우리 형편이 썩 좋지 않았어. 벤에게서 2백 달러를 빌린 일이 기억나는구나. 그땐 그게 마치 백만 달러처럼 느껴졌어. 네할아버지가 뉴욕에 와서 에티오피아 식당에 나를 데려가셨던 일도 떠오른다. 식사 후에 나는 웨스트 4번가 지하철역까지 네 할아버지를 모셔다 드렸다. 우리는 작별인사를 하고 멀어져 갔어. 그런데 갑자기 네 할아버지가 나를 부르셨다. 무언가를 깜빡 잊으셨던 거야. 네 할아버지가 나한테

120달러짜리 수표를 건네주시더구나. 내가 이 얘기를 하는 건, 우리 이야기의 요점이 뭐가 되었든지 간에 네가 이것을 이해해 줬으면 해서다. 나는 늘 가진 게 없었지만, 내 곁엔 사람들이 있었다는 걸 말이다 — 나에겐 항상 사람들이 있었다. 나에겐 어느 누구한테 내놓아도 꿀리지 않을 어머니와 아버지가 있었다. 대학 시절 내내 나를 보살펴 주던 형이 있었다. 나를 이끌어 주던 메카가 있었다. 나를 위해 얼마든지 버스 앞에 뛰어들 친구들이 있었다. 내가 사랑을 받았다는 것, 아무리 나에게 종교적 감정이 결여되어 있었다 해도 나는 항상 주변 사람들을 사랑해 왔다는 것, 그리고 그 폭넓은 사랑이 내가 너에게 느끼는 특정한 사랑과 직접적으로 연관되어 있다는 것을 너는 알아야 해.

나는 금요일 밤이면 벤의 집 현관 계단에 앉아 잭 다니엘을 마시면서 시장 선거나 전쟁으로 치닫는 분위기에 관해 논쟁하곤 했지. 나의 한 주 한 주가 목표 없이 느껴졌다. 여러 잡지사를 찔러 보았지만 성과가 없었어. 차나 이모가 나에게 다시 2백 달러를 빌려주었다. 하지만 수상한 바텐더 학교에 사기당해 그 돈을 모두 날려 버렸지. 나는 파크 슬로프의 작은 식품 판매점에서 음식 배달 일을 시작했다. 뉴욕에서는 모두가 상대방의 직업을 알고 싶어 했어. 나는 사람들에게 〈작가가 되려고 노력 중〉이라고 말했어.

어떤 날은 기차를 타고 맨해튼으로 가기도 했어. 그곳에는 어디를 가든 정말 많은 돈이 넘쳐났다. 돈은 작은 선술집과 카페에서 흘러나오고 있었고, 믿기지 않을 만큼 빠른 속도로 사람들을 널찍한 대로로 밀어내고 있었고, 타임 스퀘어를 통해 은하를 오가는 수많은 사람들을 끌어내고 있었고, 석회암과 브라운스톤 건물 안에 있었고, 웨스트브로드웨이에 깔려 있었다. 거기선 백인들이 찰랑거리는 잔을 들고 와인 바에서 쏟아져 나와도 경찰이 오지 않았다. 클럽에서 취한 백인, 웃음을 터뜨리는 백인, 브레이크 댄서들에게 시합하자고 도전하는 백인들이 있었다. 그들은 이런 싸움에서 만신창이가 되고 굴욕을 맛보곤 했어. 그러나 다음 순간에는 손바닥을 마주치고 웃고 다시 맥주를 주문하곤 했지. 그들은 전혀 겁이 없었다. 나는 바깥 거리를 내다보고서야 비로소 그것을 이해할 수 있었지. 바로 그 거리에는 티셔츠와 조깅 팬츠를 입고서 고급 주택가로 바뀐 할렘 대로에서 폭이 두 배나 되는 유모차를 미는 백인 부모들이 있었다. 또 엄마와 아빠가 서로 간의 대화에 푹 빠진 사이 아이들이 세발자전거를 타고 보도 전체를 호령하는 가족도 있었다. 그 은하는 그들에게 속해 있었고, 마치 우리 아이들에게 공포가 전달되는 것과 같이, 그 아이들에게 전달되는 지배 의식을 보았다.

그래서 나는 너를 유모차에 태우고서 네가 더 많은 것을 봐야 한다고 거의 본능적으로 믿으면서 이를테면 웨스트 빌리지 같은 그 도시의 다른 지역을 찾아가곤 했는데, 그럴 때면 다른 누군가로부터 조상의 보물을 빌린 것처럼, 마치 가명으로 여행 중인 사람처럼 마음이 불편했던 기억이 있구나. 그러는 사이에 너는 무럭무럭 자라서 언어가 되고 감정이 되어 갔다. 나의 아름다운 갈색 소년, 이제 곧 지식이 되고, 이제 곧 자기 은하의 칙령을 이해하고, 독특하고 차별적인 관심으로 너를 대하는 혹독한 멸종 수준의 사건들을 모두 이해하게 될 소년으로 자라났다.

언젠가 넌 어른이 되겠지. 그리고 난 너와 네 미래 친구와 동료들 사이의 건널 수 없는 간극으로부터 너를 구해 줄 수 없을 거야. 네 주변 사람들은 내가 아는 모든 것, 내가 지금 너에게 전하는 모든 말이 착각이라고, 또는 거론할 필요도 없는 아득한 과거의 사실일 뿐이라고 너를 설득하려 애쓰겠지. 그리고 난 경찰과 그들의 손전등, 그들의 손, 그들의 곤봉, 그들의 총으로부터 널 구해 줄 수 없겠지. 프린스 존스, 그를 지키는 경호원이어야 했을 사람들에게 죽임을 당한 그가 항상 나와 함께 있다. 그리고 그가 조만간 너와도 함께하리라는 걸 나는 알고 있었다.

그 무렵 집에서 나와 플랫부시 거리로 접어들 때면, 내 얼굴은 멕시코 레슬링 선수의 가면처럼 굳어지고, 두 눈은 끊임없이 이쪽저쪽을 살피고, 두 팔은 힘을 빼고 늘어뜨려 항상 준비 태세가 되어 있었다. 이렇게 늘 경계해야 한다는 건 막대한 에너지를 소모하고 서서히 진액을 뽑아내는 일이었지. 그러다 보면 우리의 몸은 빠른 속도로 망가졌어. 그렇기에 나는 이 세계의 폭력도 두려웠지만, 그 폭력으로부터 너를 보호하기 위해 만들어진 규칙 또한 두렵더구나. 그 구역을 지나기 위해 네 몸을 왜곡하고, 동료들에게 진지하게 받아들여지기 위해 다시 네 몸을 왜곡하고, 경찰에게 빌미를 주지 않으려고 다시 한 번 네 몸을 왜곡시킬 규칙 말이다.

나는 사람들이 자신의 검은 아들딸에게 〈두 배는 잘하라〉고, 다시 말해 〈좋은 거든 나쁜 거든 절반만 받아들이라〉고 말하는 걸 평생 동안 들어왔다. 마치 그렇게 행동하는 것이 말해지지 않은 어떤 자질, 감지되지 않은 어떤 용기를 증명한다는 듯, 그런 말은 종교적인 고결함의 허울을 쓰고 이야기되곤 한다. 하지만 사실상 그 순간에 그 모든 것이 증명하는 것이라고는 우리의 머리를 겨눈 총과 우리의 주머니 안으로 들어온 손뿐이다. 바로 그런 식으로 우리는 우리의 부드러움을 잃어버린다. 바로 그런 식으로 그들은 우리가 미소 지을 권리를 훔쳐 가는 거야. 세발자전거를

142

타던 그 작은 백인 아이들에게 두 배는 잘해야 한다고 말하는 사람은 아무도 없었다. 나는 그 아이들에게 두 배는 많이 가지라고 말하는 부모들을 상상해 보았다. 내 생각에는 우리 자신이 만든 생존의 규칙이 오히려 약탈을 배가시키는 것 같았다. 어쩌면 흑인종으로 징발된다는 것의 결정적 특징은 시간의 강도짓을 피할 수 없다는 것이 아닐까 하는 생각이 들더구나. 우리가 가면을 준비하면서 보낸 시간, 절반만 받아들이기 위해 마음의 각오를 하며 보낸 시간은 영영 돌이킬 수 없기 때문이다. 시간의 강도짓은 평생 쌓여서 계산되는 게 아니라 순간순간에 일어난다. 그것은 방금 마개를 땄는데 마실 시간이 없는 마지막 와인 병이다. 그것은 연인이 지금 네 삶에서 영원히 떠나가려는데 미처 나눌 시간이 없는 키스다. 그것은 그들에게는 또 다른 가능성의 뗏목이지만, 우리에게는 스물세 시간뿐인 나날이다.

어느 날 오후 네 엄마와 나는 너를 데리고 유치원을 찾았다. 우리를 맞은 직원은 뉴욕 어린이들로 들끓는 인종의 도가니 같은 커다란 체육관으로 우리를 안내했어. 아이들이 달리고 뛰어오르고 구르고 있었지. 너는 그들을 한번 보더니 우리 손을 뿌리치고 그 무질서한 아이들 속으로 곧장 달려가더구나. 지금까지 넌 한 번도 사람들을 겁낸 적이 없었고, 거부당하는 걸 두려워하지도 않았지. 난 너의 그런 면이 늘 감탄스러웠고 그 때문에 네가 늘 걱정되었어. 알지도 못하는 그 어린이들과 같이 폴짝거리고 웃는 네 모습을 지켜보고 있으려니, 내 안에 벽이 자라났고, 왠지 네 팔을 붙들고 잡아당기면서 이렇게 말해야 할 것만 같았다. 〈우린 이 사람들을 몰라! 진정해!〉 물론 그러지는 않았다. 나도 성장하고 있었던 거야. 비록 그때 내가 느낀 괴로움을 정확히 뭐라고 해야 할지 모르겠지만 그래도 그게 고결함과는 전혀 무관한 감정이란 건 알고 있었어. 하지만 그때 내가 하려고 했던 말 — 네 살짜리 아이는 조심스럽고 약삭빠르다, 네 즐거움은 이제 그만이다, 그래 봤자 시간 낭비다 — 의 심각성을 이해하고 있단다. 그리고 지금, 은하의 주인들이 그 아이들에게 전해 주는 대담함에 그 두려움을 비교하자니, 나는 부끄럽구나.

뉴욕은 그 자체로 또 하나의 스펙트럼이어서, 흑인들만 있던 하워드에서 내가 보았던 거대한 다양성은 이제 한 거대 도시 전체에 퍼져 있었다. 모퉁이 하나를 돌 때마다 무언가 다른 것이 기다리고 있었지. 여기 유니언 스퀘어에는 아프리카 드러머들이 모여 있었다. 여기 죽어 있는 고층 건물들은 그 안에 묻혀 있던 식당들, 작은 맥주통과 한국식 프라이드치킨이 나오는 식당들로 인해 밤이면 다시 살아났다. 여기선 흑인 소녀가 백인 소년과 함께 있었고, 흑인 소년이 중국계 미국인 소녀와 함께 있었고, 중국계 미국인 소녀는 도미니카 소년과 함께 있었고, 도미니카 소년은 자메이카 소년과 함께 있었고, 그 외도 상상할 수 있는 온갖 조합들이 있었다. 웨스트빌리지를 지나갈 때면 나는 거실 크기만 한 식당들에 감탄하곤 했는데, 마치 어떤 농담을 듣고 웃고 있는 것처럼, 식당들의 자그마함이 손님들에게 일종의 학구적인 차분함을 대접한다는 걸 알 수 있었지. 나머지 세계가 그 수준을 쫓아가려면 십 년은 걸릴 것 같았다.

여름은 비현실적이었어. 도시 전체가 패션쇼가 되었고, 모든 대로가 젊은이들의 런웨이나 다름없었다. 거기엔 내가 그동안 느꼈던 어떤 것과도 비교할 수 없는 다른 열기가 있었다. 거대한 건물들에서 뿜어진 열기와 함께, 지하철 차량 안으로, 바 안으로, 늘 똑같은 작은 음식점과 카페 안으로 몸을 욱여넣는 수백만의 사람들이 뒤섞여 있었다. 그렇게 많은 삶은 본 적이 없었어. 그런 삶들이 그렇게 다양하게 존재할 수 있다는 걸 한 번이라도 상상해 본 적도 없고. 그곳은 하나의 도시에 빼곡하게 채워 넣어진 모든 사람들의 특별한 메카였다.

그러나 열차에서 내려 우리 동네로, 나의 플랫부시 대로로, 또는 나의 할렘으로 돌아갈 때면 여전히 두려움이 버티고 있었다. 그 두려움은 내가 평생 알고 있었던 똑같은 주먹, 똑같은 눈초리, 똑같은 규칙을 가진 똑같은 소년들이었어. 만약 뉴욕이 다른 게 한 가지 있다면, 이곳에는 푸에르토리코인들과 도미니카인들의 모습을 한, 우리의 황갈색 피부 사촌들이 더 많다는 거였다. 하지만 그들의 의례는 매우 비슷했고, 그들이 걷거나 손바닥을 치며 인사하는 방식 전부가 나한테는 친숙했어. 그런 식으로 나는 아무 날이든 한 번에 뉴욕의 여러 지구를 돌아다니면서 나 자신을 발견했어. 역동적인 나, 잔인한 나, 돈 많은 나를. 때로는 그 모두를 한 번에 발견하는 일도 있었지.

어쩌면 넌 우리가 어퍼웨스트사이드에 「하울의 움직이는 성」을 보러 갔던 때를 기억할 거다. 네가 거의 다섯 살이 되어 가던 때였지. 극장은 만원이었고, 극장을 나왔을 때 우리는 1층으로 내려가는 에스컬레이터를 탔어. 에스컬레이터에서 내릴 때, 넌 조그만 아이의 꼬물거리는 속도로 움직이고 있었지. 한 백인 여자가 너를 밀치고는 짜증스레 말했어.「아, 쫌!」많은 일이 동시에 벌어졌어. 낯선 사람이 자기 아이의 몸에 손을 댔을 때 어떤 부모라도 할 법한 반응이 있었다. 너의 검은 몸을 보호하는 내 능력에 대한 나 자신의 불안감이 있었다. 그리고 또 하나, 이 여자가 자신의 지위를 이용해 횡포를 부린다는 나의 느낌이 있었다. 이를테면 나는 그녀가 내 구역인 플랫부시에서는 흑인 꼬마를 밀치지 않을 거라는 걸 알고 있었다. 그곳에서라면 그녀는 두려웠을 테고, 그런 행동에는 처벌이 따를 거라는 걸, 비록 알지는 못하더라도 느꼈을 테니까. 하지만 내가 있던 곳은 내 구역인 플랫부시가 아니었다. 거기는 웨스트볼티모어도 아니었다. 그리고 메카에서도 멀리 떨어져 있었다. 그러나 나는 그 모든 걸 잊어버렸다. 그저 누군가 내 아들의 몸에 자신의 권리를 휘둘렀다는 것만 의식하고 있었을 뿐이다.

나는 그 여자에게 돌아서서 뭐라고 말했는데, 내 입에서 내 평생 모든 순간을 통틀어 가장 격한 말이 나왔어. 그녀는 충격을 받아 움찔하더구나. 근처에 서 있던 한 백인 남자가 큰소리로 반박하며 그녀를 거들었다. 나에겐 그게 그 아가씨를 야수에게서 구하려는 시도처럼 보였지. 그는 내 아들을 위해서는 결코 그런 시도를 하지 않았어. 그리고 이제 모여드는 군중 속에서 그는 다른 백인들의 지원을 받고 있었다. 그 남자가 다가왔다. 그의 목소리가 더욱 높아졌다. 나는 그를 밀쳐 냈다. 그가 소리쳤다. 「당신을 체포하게 할 수도 있어!」나는 개의치 않았다. 그에게 그렇게 대답했고, 훨씬 더 심한 말을 하고 싶은 욕구가 목구멍에서 뜨겁게 치밀더구나. 내가 그 욕구를 가까스로 통제할 수 있었던 건 저쪽 옆에, 나에게서 어느 때보다 더한 분노를 목격했을 누군가가 서 있다는 걸 기억해 냈기 때문이다. 바로 너였다.

집으로 오는 길은 심란했다. 그건 분노와 함께, 거리의 법칙으로 돌아가 버렸다는 수치심이 뒤섞인 감정이었어. 〈당신을 체포하게 할 수도 있어!〉라는 말은 곧 이런 뜻이었다. 〈내가 네 몸뚱이를 빼앗을 수도 있어.〉

나는 이 얘기를 여러 번 했었지만, 허세 때문이 아니라 용서를 구하기 위해서였다. 나는 결코 폭력적이었던 적이 없었다. 심지어 어릴 때 내가 거리의 규칙을 채택했을 때에도, 나를 아는 사람은 다들 폭력은 나와 어울리지 않는 일이라고 생각했지. 정당방어나 정당화된 폭력에 같이 따라오기 마련인 그런 자부심을 난 한 번도 느껴본 적이 없었다. 누군가를 깔고 앉을 때마다, 그 순간의 내 분노가 어떤 것이었든 상관없이, 그런 다음에는 가장 상스러운 형태의 의사소통에 의지할 만큼 타락해 버렸다는 생각에 늘 구역질이 일었다. 내가 맬컴을 받아들였던 건 폭력에 대한 사랑 때문이 아니라, 그때까지 내 삶의 어떤 것도 시민권 운동에 나섰던 흑인 역사의 달 순교자들이 그랬던 것처럼 최루 가스를 해방으로 이해하도록 나를 준비시켜 주지 못했기 때문이다. 그러나 내가 저지른 폭력 그 자체에서 느낀 어떤 수치심보다 더 후회되었던 것은 너를 보호하려고 하다가 사실상 너를 위험에 빠뜨렸다는 사실이었다.

〈당신을 체포하게 할 수도 있어〉라고 그는 말했지. 그건 이런 말과 같아. 〈아브너 루이마[13]를 욕보이고 앤서니 바에즈[14]를 목 졸라 죽인 사람들이 당신에게 수갑을 채우고, 몽둥이질을 하고, 전기 충격기로 쓰러뜨려 당신을 절단 내는 모습을 지켜보던 기억이 당신 아들의 가장 오래된 기억이 될 거야.〉 나는 그 규칙을 잊고 있었던 거다. 맨해튼의 어퍼 웨스트사이드에서 실수하는 건 볼티모어의 웨스트사이드에서 실수하는 것만큼이나 위험하다는 걸. 여기선 어떤 실수도 해서는 안 된다. 한 줄로 걸어가야 한다. 조용히 할 일을 해야 한다. 여분의 2번 연필을 챙겨야 한다. 절대 실수해서는 안 된다.

하지만 너 역시 인간이니 실수를 하겠지. 판단 착오도 저지르겠지. 소리를 지르기도 할 거야. 과음하는 일도 있을

13 Abner Louima. 아이티 출신의 흑인으로 1997년 브루클린의 한 나이트클럽 밖에서 뉴욕 시 경찰에 체포된 뒤 폭행당하고 부러진 빗자루 손잡이로 항문을 찔리는 수모를 당했다.

14 Anthony Ramon Baez. 1994년 12월 22일, 경찰이 동생 데이비드를 체포하려는 걸 말리며 실랑이를 벌이다 의식을 잃고 사망했다. 경찰이 동생을 체포하려고 한 이유는, 동생의 풋볼 공이 경찰차를 맞췄기 때문이다.

거고. 어울려서는 안 될 사람들과 돌아다니기도 하겠지. 우리 모두가 항상 재키 로빈슨[15]일 수는 없어. 심지어 재키 로빈슨도 항상 재키 로빈슨은 아니었다. 하지만 실수의 대가는 너의 동포 미국인들보다 너에게 훨씬 크고, 그렇게 미국은 자신을 정당화할 수 있을 거다. 흑인 몸뚱이에 대한 파괴의 이야기는 항상 그 흑인 자신의 실수와 함께 시작되기 마련이라고 말이다. 에릭 가너는 분노했기 때문에, 트레이번 마틴은 하지도 않은 말 — 〈넌 오늘 밤에 죽은 목숨이다〉 — 을 했기 때문에, 션 벨[16]은 엉뚱한 군중들과 함께 달리는 실수를 했기 때문에, 나는 총을 꺼내 드는 작은 눈의 소년에 너무 가까이 있었기 때문에 그렇게 됐다고.

한 사회는 어떤 성공담을 이야기하든 거의 매번 자신에게 가장 유리한 장에서부터 시작한다. 미국에서 이렇게 느닷없이 시작되는 장들은 거의 어김없이 예외적인 개인의 비범한 행동으로 묘사된단다. 〈변화를 일으키는 데는 한 사람만 있으면 된다〉는 말은 너도 종종 들었을 거야. 이것 역시 근거 없는 허구다. 한 사람이 변화를 일으킬 수는 있

15 Jackie Robinson. 메이저리그 최초의 흑인 선수. 은퇴 후에는 인권 운동을 했다. 매년 4월 15일은 재키 로빈슨 데이로 메이저리그의 모든 선수들이 영구 결번된 그의 등번호 〈42〉를 달고 뛴다.

16 Sean Bell. 2006년 11월 25일, 친구들과 총각 파티를 하고 나오다 사복 차림의 경찰들에게 총격을 받고 결혼식을 몇 시간 앞두고 사망했다. 해당 경찰들은 재판을 받았으나 모두 무죄 판결을 받았다.

겠지만, 그것은 네 동포 국민들과 평등하게 네 몸을 끌어올려 줄 만한 그런 변화는 아니다.

역사적 사실을 이야기하자면, 흑인들 — 어쩌면 모든 민족이 그랬겠지만 — 은 엄밀히 보면 그 자신의 노력을 통해서 해방된 것이 아니다. 미국 흑인들의 삶에서 일어났던 모든 위대한 변화 속에는 우리의 개인적 통제력을 넘어선 사건들, 순수한 선(善)은 아니었던 사건들의 작용이 있었다. 북부 식민지에서 우리가 맞은 해방을 혁명전쟁 중에 흘린 피와 분리시킬 수 없듯이, 우리가 남부 노예제에서 벗어난 것을 남북 전쟁의 시체 안치소와 분리시킬 수 없고, 우리가 짐 크로법에서 해방된 것을 제2차 세계대전의 대학살과 분리시킬 수 없어. 역사는 온전히 우리 손에 달려 있는 게 아니다. 그럼에도 여전히 내가 너에게 투쟁하라고 요구하는 이유는 투쟁이 너에게 승리를 안겨 주기 때문이 아니라, 명예롭고 건강한 삶을 보장하기 때문이야. 나는 그날 내가 했던 행동이 부끄럽고, 네 몸을 위험에 처하게 만들었다는 게 부끄럽다. 하지만 내가 나쁜 아버지여서, 나쁜 사람이어서, 또는 무례해서 부끄러운 건 아니다. 내가 부끄러운 건, 우리의 실수가 늘 더 큰 대가를 치르게 한다는 걸 알면서도 실수를 저질렀다는 사실이야.

이것이 우리를 둘러싸고 있는 역사의 숨겨진 의미이지

만, 그 의미에 관해 생각하기를 좋아하는 사람은 극히 드물
단다. 만약 그 여자가 너를 밀쳤을 때 내가 이런 이야기를
했다면, 그 여자는 흑인의 몸뚱이를 하찮게 여겼던 예의 전
통에 따라서 아마도 이런 반응을 보였을 거다. 〈난 인종주
의자가 아니에요.〉 물론 그러지 않을 수도 있을 거야. 하지
만 내가 이 세계에서 겪어 온 바로는 자신이 백인이라고 믿
는 사람들은 개인적 면죄 정책에 집착한단다. 그들에게 인
종주의자라는 단어는 담배를 뱉는 멍청이 아니면 범고래나
트롤, 고르곤 같은 환상적인 어떤 것을 떠올리게 하지.

언젠가 한 연예인은 자기한테 야유하는 사람에게 〈저 사
람 깜둥이네요! 깜둥이에요!〉 하고 소리치는 모습이 카메
라에 찍히자 나중에 이렇게 해명했지. 「난 인종주의자가
아닙니다.」 리처드 닉슨은 분리주의 정책을 주장하는 상원
의원 스톰 서먼드를 생각하면서 〈스톰은 인종주의자가 아
니다〉라는 결론을 내렸어. 미국에 인종주의자는 단 한 명
도 없다. 아니, 적어도 백인일 필요가 있는 사람들이 개인
적으로 알고 있는 인종주의자는 한 명도 없다고 해야겠지.
집단 린치가 흔했던 시절에는 누가 처형자 역할을 했는지
가려내기가 매우 힘들었기 때문에, 종종 언론에서는 그런
죽음이 〈알려지지 않은 자들의 소행〉이라고 보도하곤 했
다. 1957년, 펜실베이니아 레빗 타운의 백인 주민들은 자

기 마을의 분리주의를 유지할 권리를 주장하면서 이렇게 썼어. 〈도덕적이고, 종교적이며, 법을 준수하는 시민으로서, 우리는 우리 마을을 폐쇄된 공동체로 유지하려는 우리의 바람에 편견이나 차별적인 요소는 없다고 생각한다.〉 이것은 수치스러운 행동을 저지르면서도 모든 처벌을 빠져나가기 위한 시도였지. 내가 그 경우를 예로 드는 이유는, 악인들이 나쁜 짓을 저지르면서 자기가 나쁜 짓을 했다고 요란하게 선언하던 황금기 같은 건 결코 없었다는 걸 보여 주기 위해서야.

솔제니친은 이렇게 썼다. 〈우리는 그런 사람들이 존재할 수 없다고, 한 명도 없다고 말하는 편을 택할 것이다. 인간이 나쁜 일을 하기 위해서는 무엇보다 먼저 자기는 좋은 일을 하고 있다고, 또는 그건 자연법에 따라 심사숙고하여 이뤄진 행동이라고 믿어야 한다.〉 바로 이것이 〈꿈〉의 토대란다. 〈꿈〉을 지지하는 사람들은 그냥 〈꿈〉을 믿는 게 아니라, 〈꿈〉이 정당하다고 믿어야 하고, 자신들이 그 〈꿈〉을 가지게 된 건 뚝심과 명예와 선행의 자연스러운 결과라고 믿어야 하지. 안 좋았던 지난 시절에 대해 어느 정도 인정은 하겠지만, 어찌 됐든 거기엔 지난 시절이 우리의 현재에 어떤 지속적인 영향을 미칠 만큼 그리 나쁘지는 않았다는 의미가 담겨 있어. 우리 교도소 체계가 주는 공포로부터, 군대가 되어 버린 경찰력으로부터, 검은 몸에 대한 오랜 전쟁으로부터 눈길을 거두는 데 필요한 패기는 하루아침에 만들어진 것이 아니다. 이것은 어떤 사람의 눈을 도려내면서 그 손이 한 일은 잊어버리도록 길들여진 습관이다. 이런 공포를 인정한다는 건, 네 나라가 항상 스스로 선언해 왔던 네 나라의 눈부신 모습을 거부하고 더욱 컴컴하고 알 수 없는 어떤 것으로 시선을 돌린다는 걸 의미한다. 여전히 대부분의 미국인에게는 시선을 돌리는 행위가 너무 어려운 일일 테지. 하지만 그건 너의 일이다. 네가 정말로 네 정신의 존엄성을 지키고 싶다면, 그게 너의 일이 되어야 해.

　이 나라에 관한 서사 전체는 네가 누구인가 하는 진실을 반박하는 이야기들이다. 너도 기억하고 있겠지만, 너와 네 사촌 크리스토퍼를 렌터카 뒷좌석에 태우고 피터스버그와 셜리 플랜테이션, 윌더니스[17]를 보러 갔던 여름이 생각나는구나. 남북 전쟁 중에 무려 60만 명이 목숨을 잃었기 때문에 나는 그 전쟁에 관심이 쏠려 있었지. 하지만 내가 받

17　피터스버그는 버지니아 주 남동부, 윌더니스는 버지니아 주 동북부에 있는 남북 전쟁 격전지이고, 셜리 플랜테이션은 17세기 초에 만들어진 미국에서 가장 오래된 대농장으로, 한때 수백 명의 흑인 노예가 담배 경작을 위해 동원되었다.

은 교육 속의 남북 전쟁은 얼버무려져 있었고, 대중문화 속에 묘사된 그 전쟁과 전쟁의 원인은 모호하게 흐려진 느낌이 있었어. 그렇지만 내가 알기로 1859년에 우리는 노예였고 1865년에는 노예가 아니었으니, 그 시기에 우리에게 일어났던 일이 굉장히 중요한 의미가 있을 거라는 생각이 들었다. 그런데 어떤 격전지를 방문하든 그때마다 마치 내가 감사를 나온 깐깐한 회계사인 것처럼 누군가 회계 장부를 숨기려 애쓰고 있는 것 같은 느낌을 받았어.

네가 기억하는지 모르겠지만, 우리가 피터스버그 격전지에서 보았던 다큐멘터리 필름은 남부연합의 몰락이 축제가 아니라 마치 비극의 시작이라는 듯 끝을 맺고 있었다. 남부연합의 회색 제복을 입고서 우리와 같이 그 격전지를 탐방했던 남자와, 측방 이동술이나 딱딱한 건빵, 활강총, 산탄, 철갑에만 큰 관심을 쏟을 뿐, 이 모든 공학과 발명품, 설계들이 무엇을 이루기 위해 결집되어 있었는지에 대해선 전혀 관심이 없어 보이던 방문객들을 기억할지 모르겠구나. 넌 그때 겨우 열 살이었어. 하지만 그때에도 내가 널 힘들게 한다는 걸 알고 있었다. 그것이 곧 사람들이 너의 총명함을 무시하게 될 방으로, 도적들이 너를 상대로 한 강도짓에 너를 끌어들이고 자신들이 저질렀던 방화와 약탈을 그리스도교의 자선으로 위장하려는 방으로 너를 데려

간다는 걸 뜻한다는 것도 알고 있었어. 하지만 강도짓은 지금의 현실이고, 과거에도 늘 있었다.

남북 전쟁이 시작될 당시, 도둑맞은 우리들의 몸은 40억 달러의 가치가 있었다. 그 가치는 철도, 작업장, 공장 등 미국 전체 산업의 가치를 모두 합친 것보다 컸고, 도둑맞은 우리의 몸에 의해 만들어진 최고의 산물 — 면화 — 은 미국의 주요 수출품이었어. 미국에서 제일가는 부자들은 미시시피 강 유역에 살고 있었는데, 그들의 부는 도둑맞은 우리의 몸으로 일구어진 것이었다. 우리의 몸은 초기의 대통령들에게 예속되어 있었다. 우리의 몸은 제임스 K. 포크[18]에 의해 백악관에서 팔려 나갔지. 우리의 몸이 의회 의사당과 내셔널 몰을 건설했다. 남북 전쟁의 첫 번째 총탄은 사우스캐롤라이나 주에서 발사되었는데, 그곳은 우리의 몸이 그 주에 있는 인간의 몸 대다수를 이루던 곳이었어. 바로 여기에 대전쟁의 동기가 있단다. 이건 결코 비밀이 아니야. 그러나 좀 더 잘 찾아보면 자신의 범죄를 고백하는 도적들을 찾아낼 수 있지. 미시시피는 연방을 탈퇴하면서 이렇게 선언했다. 〈우리의 입장은 세계에서 가장 큰 물질적 이익, 노예제를 철저하게 지지하는 것이다.〉

우리는 게티스버그를 여러 번 갔는데, 언젠가 나와 네 엄

18 James K. Polk. 미국의 11대 대통령.

마와 함께 에이브러햄 브라이언의 집 밖에 서 있던 때를 기억하니? 그때 우리 옆에는 게티스버그 흑인들의 역사를 독학했다는 한 젊은이가 있었다. 그는 브라이언 농장이 게티스버그의 마지막 날 조지 피켓[19]의 공격을 받던 전선의 맨 끝에 있었다고 설명했어. 그리고 브라이언이 흑인이었다는 것, 게티스버그는 자유 흑인 공동체의 본산이었다는 것, 브라이언과 그의 가족은 노예화를 위해 진격해 오는 군대에게 몸을 잃을까 두려워서 그들의 집을 떠났다는 것도 우리에게 말해 주었지. 명예롭고 거룩한 남부연합의 로버트 E. 리 장군이 이끄는 노예화 군대는 당시 자기네 군대에서 흑인들을 훔쳐 내 남부에 팔아넘기고 있었다. 조지 피켓과 그의 군대는 결국 북군에게 격퇴되었어. 한 세기 반이 지나 그 자리에 서 있으려니, 포크너 소설 속의 한 등장인물이 그날의 패배가 어떻게 모든 〈남부〉 소년들의 마음을 애타게 만들었는지 회상하는 장면이 떠오르더구나 ─〈전혀 앞을 알 수 없는 불확실한 상태다. 아직 일어나지 않았고, 심지어 시작되지도 않았다……〉

포크너의 소설에 나오는 남부 소년들은 모두 백인이었다. 하지만 남부 사람들이 없는 곳에서 자유를 누리기 위해

19 George Pickett. 남북 전쟁 당시 남군의 장군으로, 피켓의 공격이 실패로 끝나면서 게티스버그 전투에서 남군이 패했다.

가족을 데리고 도주했던 한 흑인의 농장에 서 있던 나의 눈에는, 자신들의 이상한 생득권, 곧 흑인의 몸을 구타하고, 강간하고, 강탈하고, 약탈할 권리를 맹렬히 좇아 역사 속을 진격해 오는 피켓의 군인들이 보였다. 바로 그것이 그들이 말하는 〈불확실한〉 것의 실체이자 향수 어린 순간의 추잡하고 말 못 할 핵심이란다.

그러나 미국인들의 재결합은 안락한 서사 위에 건설되었지. 그 서사는 노예화를 선행으로, 몸을 날치기한 백기사로 둔갑시켰고, 전쟁의 대학살에 대해선 양쪽 모두 용기와 명예, 기백을 가지고 제 할 일을 한 거라고 결론지을 수 있는 일종의 스포츠로 만들어 버렸다. 남북 전쟁에 대한 이런 거짓말은 무죄를 외치는 거짓말이자 〈꿈〉이다. 역사학자들이 〈꿈〉을 불러냈다. 할리우드는 그 〈꿈〉을 강화했다. 많은 소설과 모험담은 그 〈꿈〉에 금박을 입혔다. 존 카터[20]는 무너진 남부연합을 떠나 화성으로 달아난다. 우리는 그가 정확히 무엇으로부터 달아나고 있었는지 물어서는 안 된다. 내가 아는 모든 아이들처럼, 나는 TV 시리즈 「해저드의 듀크 형제들The Dukes of Hazzard」을 무척 좋아했다. 하지만 거기서 〈제너럴 리〉라는 이름의 자동차를 모는 두 범

---

20 화성을 배경으로 한 SF 시리즈 「바숨Barsoom」의 주인공. 영화로도 제작되었다.

법자를 〈결코 해칠 의도는 없는 괜찮은 친구들〉 — 확실히 몽상가를 위한 만트라 — 로 굳이 묘사해야 했는지에 관해서는 더 많이 생각했더라면 좋았을 거야. 어쨌든 어떤 사람이 무엇을 〈의도〉했는지는 중요하지도 않고 상관도 없다. 에릭 가너의 목을 졸랐던 경관이 그날 하루를 누군가의 몸을 절단 내기 위해 시작했다고 믿을 필요는 없으니까. 네가 이해해야 할 것이 있다면 그 경관이 미국인들의 국가 권력과 미국인들의 유산의 무게를 지니고 있다는 것, 그리고 그들에게 매년 파괴되는 몸들 가운데 터무니없이 많은 수는 반드시 흑인이어야 한다는 사실뿐이다.

네가 알았으면 하고 바라는 것은 이거야. 미국에서는 검은 몸을 파괴하는 게 전통이라는 거다. 그건 문화유산이다. 노예화란 그저 순수하게 남의 노동을 빌리는 일이 아니다. 한 인간에게 몸의 근본적인 이해에 반해 몸을 쓰도록 하는 건 그렇게 쉬운 게 아니야. 그래서 노예화란 일상적인 분노, 마구잡이식 짓밟음, 머리의 깊은 상처, 그 몸이 탈출하려 강을 건널 때 강물 위에서 터져 버린 뇌일 수밖에 없다. 그것은 산업적이라고 할 만큼 주기적인 강간일 수밖에 없다. 이런 얘기를 기분 좋게 말할 방법은 어디에도 없어. 나는 어떤 송가도, 어떤 흑인 영가도 알지 못한다. 정신과 영혼은 곧 몸과 뇌이며, 몸과 뇌는 파괴될 수 있다 — 바로 그 이유 때문에 몸과 뇌가 그렇게 소중한 거란다. 그리고 그 영혼은 빠져나가지 않았다. 그 정신은 복음의 날개를 달고 달아나지 않았지. 영혼은 담배에 양분을 준 몸이었고, 정신은 목화에 물을 대준 피였고, 이것이 미국인들의 정원에서 최초의 열매를 만들어 냈던 거다. 그리고 장작으로 어린 몸들을 후려침으로써, 달군 쇠로 옥수수 껍질 벗기듯 살가죽을 벗겨 냄으로써 그 열매들이 지켜졌던 거다.

그것은 피여야만 했다. 그것은 혀와 귀를 뚫고 잘라 버리는 못이어야 했다. 남부의 한 여주인은 이렇게 기록했지. 〈얼마간의 불복종, 지나친 게으름, 뚱함, 지저분함…… 회초리 사용.〉 그것은 느긋한 속도로 버터를 저었던 죄를 물어 부엌 일꾼들에게 가해지는 매타작이어야 했다. 그것은 〈지난 토요일에 30대의 채찍질, 화요일에 다시 더 많은 채찍질. 속이 후련하다……〉고 하는 어떤 여자여야 했다. 그것은 마차 채찍, 부젓가락, 쇠스랑, 작은 톱, 돌멩이, 문진(文鎭), 또는 손에 잡히는 아무거나 그러쥐고 검은 몸, 검은 가족, 검은 공동체, 검은 민족을 부러뜨리는 것일 수밖에 없었다. 그 몸들은 분쇄되어 가축이 되고 보험으로 표시되었다. 그 몸들은 인디언의 땅만큼이나 돈이 되는 야망이었고, 베란다, 아름다운 아내, 또는 산속의 여름 별장이었다. 자신이 백인이라고 믿을 필요가 있었던 남자들에게 그 몸들은 사교 클럽으로 가는 열쇠였고, 그 몸을 부러뜨릴 권리는 문명의 표지였다. 사우스캐롤라이나의 위대한 상원의원 존 C. 컬훈은 이렇게 썼다. 〈사회를 이루는 두 개의 큰 부분은 부자와 가난한 자가 아니라 백인과 흑인이다. 전자는 모두, 부자는 물론 가난한 사람들까지도 상층 계급에 속하며 똑같이 존중받고 대우받는다.〉 그리고 사실이 그렇다. 그들에겐 신성한 평등권의 의미로서 검은 몸을 부러뜨릴 권리가 있어. 그 권리는 언제나 그들에게 의미를 부여해 왔고, 그 권리의 의미는 산 아래 아무것도 없다면 산은 산이 아니기 때문에 계곡에는 항상 누군가 있어야 한다는 거였다.[21]

아들아, 너와 나는 그 〈아래〉 있다. 1776년에는 상황이 그랬어. 그리고 지금도 그렇다. 네가 없다면 그들도 없다. 네 몸을 부러뜨릴 권리가 없다면 그들은 필연코 산에서 떨어질 수밖에 없고, 그 신성을 잃고 〈꿈〉에서 굴러떨어질 수밖에 없다. 그때가 되면 그들은 어떻게 인간의 뼈 위가 아닌 다른 어떤 토대 위에 자신들의 교외를 건설할지, 어떻게 감옥을 인간 축사가 아닌 다른 어떤 시설로 지을지, 카니발리즘과 무관한 민주주의를 어떻게 수립할지 결정해야 하겠지. 하지만 그들은 자신이 백인이라고 믿기 때문에, 그러느니 차라리 그들의 법 아래 카메라 앞에서도 사람을 질식

21 Thavolia Glymph, *Out of the House of Bondage* — 원주.

사시킨 남자를 지지하겠지. 그러느니 두 손 가득 캔디와 음료수를 들고 있던 야윈 십 대 소년 트레이번 마틴을 살인마 같은 조직원으로 둔갑시켜 버린 근거 없는 소문을 지지하겠지. 그러느니 프린스 존스가 나쁜 경찰에 의해 세 개 관할구 내내 쫓기던 끝에 인간다운 행동을 했다는 이유로 총에 맞아 쓰러지는 모습을 보고 말겠지. 그리고 그러느니 멀쩡한 제정신에서, 마치 네 살짜리 꼬마는 너무도 중요한 자기네 일과 속의 한낱 장애물에 불과하다는 듯 손을 뻗어 나의 아들을 밀치려 하겠지.

사모리, 내가 그 자리에 있었다. 아니, 나는 그 소년들에게 둘러싸였던 볼티모어로 돌아가 있었다. 부모님 집 거실 바닥에 앉아, 나로선 들어갈 수 없는 그 머나먼 세계를 바라보고 있었다. 나는 내 인생의 모든 분노 속에 있었다. 에릭 가너가 그의 마지막 순간을 맞이했던 바로 그 자리에 있었다. 「이것도 오늘로 끝이라고요」 그는 그렇게 말했다가 죽임을 당했지. 나는 우주적인 부당함을 느꼈지만, 그럼에도 그것을 완전히 이해할 수는 없었어. 그때까지 난 게티스버그에 가본 적이 없었다. 서볼리아 글림프의 책을 읽은 적도 없었다. 나에게 있었던 건 그 감정, 그 무게뿐이었다. 그때 나는 몰랐고, 지금도 완전히 알지는 못해. 하지만 내가 아는 부분이 있다면, 〈몽상가들〉 사이에서 산다는 무거운

짐이 존재한다는 거고, 나아가 〈꿈〉은 공정하고 고결하고 현실적이라고 말하면서, 네가 부패를 보고 유황 냄새를 맡는 걸 너무 좋아한다고 말하는 네 나라의 짐까지 더 있다는 거다. 그들은 자신의 결백을 위해 너의 분노와 두려움을 계속해서 아무것도 아닌 것으로 만든다. 끝내 너는 갈팡질팡하다가 어느덧 너 자신을 맹렬하게 비난 — 〈흑인들은 …… 하는 사람일 뿐이야〉 — 하게 되고, 실제로 너 자신의 인간성을 비난하게 되고, 게토에서 벌어지는 범죄에 분개하게 될 거야. 왜냐하면 게토를 탄생시킨 역사의 대범죄 앞에서 넌 무기력한 존재일 수밖에 없기 때문이지.

자신이 이 나라에서 꼭 필요한 아래쪽이라고 이해한다는 건 참으로 끔찍한 일이다. 그것은 우리가 우리 자신에 관해, 우리 삶에 관해, 우리가 살아가는 세계에 관해, 그리고 우리 주변의 사람들에 관해 생각하고 싶어 하는 모습 가운데 너무 많은 부분을 부숴 버린다. 이해하기 위한 투쟁은 이 광기에 맞서 우리가 가진 유일한 강점이야. 남북 전쟁의 격전지들을 방문할 때쯤 나는 이런 곳들이 엄청난 속임수를 위한 중요한 현장으로 새로 꾸며졌다는 것을 알고 있었다. 하지만 오히려 그게 나에게 안도감을 주더구나. 이제 그들은 더 이상 나에게 거짓말로써 모욕할 수 없었으니까 말이야. 나는 알고 있었다 — 내가 알았던 것 가운데 가장 중요한 것은 그들도 마음 깊은 구석에서는 알고 있다는 거였다. 앎은 내가 너를 위험에 빠뜨리는 걸 막아 줄 수 있다고, 분노를 이해하고 인정하고 나면 그 감정을 통제할 수 있을 거라고 생각하고 싶구나. 앎은 내가 그 여자에게 할 말을 하고 그런 다음 자리를 뜨게 해줄 수 있었을 거라고 생각하고 싶구나. 물론 나는 그렇게 생각하고 싶지만, 그럴 거라고 장담할 수는 없다. 투쟁은 사실상 너를 위해 내가 가진 전부다. 투쟁만이 이 세계에서 우리가 통제할 수 있는 유일한 부분이기 때문이야.

그 일을 그냥 넘겨 버리지 못해서 미안하구나. 너를 지켜 줄 수 없어서 미안하구나. 하지만 그렇게 미안한 것만은 아니다. 내 마음 한 구석에는, 자신을 백인이라고 믿으려는 사람들이 삶의 의미에서 점점 더 멀어지는 것처럼, 오히려 너의 취약함 자체가 너를 삶의 의미에 더 가까이 데려다줄 거라는 생각이 있다. 사실 그들의 꿈에도 불구하고 그들의 삶 역시 불가침의 영역은 아니야. 그들 자신의 취약함이 현실로 드러날 때 — 경찰이 게토를 상대로 한 전술을 더욱 광범위하게 사용해야 한다고 결정할 때, 무장한 이 사회가 그들의 아이들을 총으로 쓰러뜨릴 때, 자연이 그들의 도시에 허리케인을 보낼 때 — 인과관계를 이해하도록 나고 자란 우리 같은 사람들은 결코 휩쓸리지 않지만, 우리와는 달리 그들은 큰 충격을 받는단다. 그리고 난 네가 그들처럼 살도록 하지 않을 거다. 너는 항상 맞바람이 얼굴을 때리고 바로 뒤에는 사냥개들이 쫓아오는 레이스에 던져졌어. 정도만 다를 뿐 이것이 모든 삶의 진실이다. 차이가 있다면 이 근본적인 사실을 모르고 살아갈 특권이 너에게는 없다는 거다.

지금 하는 말들은 내가 늘 너에게 해왔던 말이다. 나는 항상 네가 냉정하고 진지한 사람으로서 자신의 인간적 감정에 대해 사과하지 않는 사람, 자신의 키, 기다란 팔, 아름다운 미소에 대해 변명하지 않는 사람이 되었으면 하고 바랐다. 넌 의식이 깨인 사람으로 성장하고 있지만, 바람이 있다면 다른 이들을 편안하게 하기 위해 너 자신을 억눌러야 한다는 생각은 전혀 하지 않았으면 한다. 어쨌거나 그 어떤 것도 셈법을 바꿀 수는 없다. 나는 단 한 번도 네가 그들보다 두 배는 잘하기를 바란 적이 없고, 오히려 항상 네가 짧고 밝은 삶의 하루하루에 덤벼들기를 바랐다. 자신이 백인이라고 믿는 사람들은 결코 너의 잣대가 될 수 없어. 나는 네가 자신의 꿈에 빠지도록 놔두지 않을 생각이다. 이 끔찍하고도 아름다운 세계에서 널 의식 있는 시민으로 이끌 거야.

언젠가 나는 시카고에서, 도시화된 북부가 걸어온 인종 분리의 역사와 그것이 정부 정책에 의해 어떻게 설계되어 왔는지를 다룬 이야기를 보도하고 있었다. 몇몇 카운티 보안관서의 경관들을 취재하면서 그들이 순찰을 도는 동안 따라다녔지. 그날 나는 자기 집을 잃은 한 흑인 남자를 보았다. 나는 경관들을 따라 그의 집으로 들어갔고, 경관들은 그 남자의 아내에게 말을 걸었는데, 여자는 그런 와중에도 두 아이를 돌보느라 정신이 반쯤 팔려 있었다. 그녀는 보안관이 올 거라는 경고를 듣지 못한 것 같았지만, 남편의 태도를 보니 그는 알고 있었던 게 틀림없었어. 여자의 눈엔 그 상황에 대한 충격, 경관들에 대한 분노, 남편에 대한 분노가 한꺼번에 나타났지. 그 집 거실에 서 있던 경관들은 이제 곧 벌어질 일과 관련해 남자에게 명령을 내렸어. 바깥에는 그 가족의 가재도구를 치우기 위해 고용된 남자들이 와 있었지.

그 남자는 모욕을 당했다. 아마도 그 남자는 자기 가족을 위협하고 있는 모든 문제를 한동안 마음에 담아 두고만 있었을 거야. 아내에게든 자기 자신에게든 그 사실을 인정할 용기가 없었겠지. 이제 남자는 모든 힘을 분노로 바꾸어 경관들에게 돌렸어. 욕설을 퍼부었지. 고함을 질렀어. 거칠게 손가락질을 했다. 이 특별한 보안관서는 다른 대부분의 보안관서보다는 진보적이었어. 그들은 증가하는 수감자들을 걱정했어. 종종 퇴거 현장에 사회복지사를 데려오기도 했지. 하지만 그건 남자가 사는 세계의 근원적이고 무자비한 논리와는 아무 관계가 없었어. 그 논리는 남자와 그의 가족, 그들의 운명에 대한 경멸 위에 세워진 역사 위에, 그 역사 위에 세워진 법 위에 세워져 있는 것이니까.

그 남자는 계속 고래고래 소리를 질렀어. 경관들이 외면하자 자신의 가족을 거리로 내쫓으려고 고용되어 모여 있던 흑인 남자들을 향해 더 심하게 고함을 질렀지. 그의 행동은 이제껏 내가 알아 왔던 모든 무력한 흑인들, 그들로선 막을 수 없는 근본적인 약탈을 감추기 위해 과장된 몸짓을 하는 흑인들과 별반 다르지 않았다.

그 한 주 동안 나는 이 도시를 탐색하면서 보냈어. 텅 빈 공터를 걸어 다니기도 하고, 목표 없는 소년들을 지켜보기도 하고, 안간힘을 쓰는 교회의 신도석에 앉아 있기도 하고, 죽은 이들에게 바친 거리의 벽화 앞에서 비틀거리기도 했지. 그리고 이따금 이 도시에서 살게 된 지 백 년째를 맞는 흑인들의 누추한 집에 앉아 있기도 했어. 그들은 통찰력이 깊은 사람들이었지. 그들의 집은 명예로운 삶의 상징으로 가득했다. 훌륭한 시민상 표창장, 세상을 뜬 남편이나 아내의 초상 사진, 위로부터 아래로 몇 세대에 걸친 아이들의 사진까지. 이 도시로 이사 오기 전에 앨라배마의 방 한 칸짜리 판잣집에 살던 그들은 커다란 저택을 청소하며 이런 포상들을 이끌어 냈지. 그들이 잠시 머물다 갈 곳에 불과했던 이 도시는 더욱 정교한 약탈의 표본에 지나지 않음을 드러냈지만, 그럼에도 불구하고 그들은 이 일을 해냈던 거야. 한 번에 두세 가지 일을 하면서 아이들을 고등학교와 대학에 보냈고, 공동체의 기둥이 되었지.

난 그들에게 감탄했지만, 그곳에 머물던 내내 내 눈앞에 있는 사람들은 단지 생존자들뿐이라는 사실을 잊지 않았다. 그들은 은행을, 그 무표정한 경멸을, 부동산 중개업자들과 그들의 가짜 동정심(「미안합니다, 그 집은 어제 팔렸어요.」)을, 또한 그들을 게토나 게토 예정지로 돌려보냈던 중개업자들을, 이 억류된 계급을 발견하고 그들이 가진 모든 것을 벗겨 먹으려던 임대인들을 모두 견뎌 낸 사람들이었다. 나는 그런 집들 가운데서 그나마 가장 나은 사람들을 만나고 있었지만, 이들 한 명 한 명 뒤엔 죽어 나간 수백만 명이 있다는 것을 알고 있었다.

그리고 나는 똑같이 웨스트사이드의 새장 같은 동네에서 태어난 아이들이 있다는 것을 알고 있었다. 이런 게토는 저마다 어떻게든 세분화된 구역으로 계획되어 있었어. 게토는 인종주의의 우아한 행동이자 연방 정책에 의해 입안

된 킬링필드란다. 우리가 다시 한 번 우리의 존엄성, 우리의 가족, 우리의 부, 우리의 생명을 약탈당하는 곳이야. 사실 프린스 존스 살해 사건과 이런 킬링필드에서 일어나는 살인 사건들 사이에는 아무런 차이점이 없다. 둘 다 흑인은 잔인무도할 거라는 가정에 뿌리를 두고 있기 때문이지. 바로 약탈의 유산, 법과 전통의 그물망, 문화유산, 〈꿈〉이 웨스트사이드 노스론데일의 흑인들을 놀라우리만큼 규칙적으로 살해했듯이 프린스 존스를 확실하게 살해한 거야.

〈흑인에 대한 흑인의 범죄〉라는 말은 허튼소리, 언어에 대한 폭력이다. 이는 계약 조항을 꾸며 냈던 사람들, 대출금을 정해 놓았던 사람들, 공영 단지를 계획한 사람들, 거리를 건설하고 빨간 잉크를 통으로 팔았던 사람들[22]을 돌연 사라지게 만들지. 그렇다고 우리가 놀랄 것도 없어. 검은 목숨에 대한 약탈은 이 나라의 유년기부터 반복적으로 주입돼 왔고, 역사를 거치며 강화되어 결국 그들의 가보가 되고 지성이 되고 감수성이 되었다. 아마도 이 약탈은 우리 삶의 마지막 순간엔 어김없이 돌아갈 수밖에 없는 기본 설정일 거야.

시카고의 킬링필드, 볼티모어의 킬링필드, 디트로이트의 킬링필드는 〈몽상가들〉의 정책으로 탄생했지만, 그 무

22 정부의 〈레드라이닝〉 정책을 빗댄 표현이다.

게, 그 오명은 온전히 그 안에서 죽어 가는 사람들에게만 지워지지. 여기에는 엄청난 속임수가 있어. 〈흑-흑 범죄〉를 외친다는 건 총으로 사람을 쏘고는 그가 피를 흘린다며 창피를 주는 짓이야. 그리고 이런 킬링필드에서 허락되는 전제, 곧 검은 몸들의 삭감은 프린스 존스의 살해자에게 허락되었던 전제와 결코 다르지 않아. 백인으로 행동하고, 백인으로 말하고, 백인이 된다는 〈꿈〉이 무시무시한 규칙성으로 시카고의 흑인들을 살해하는 것과 마찬가지로 프린스 존스를 살해했던 거다. 그 거짓말을 받아들이지 마라. 독을 마시지 마라. 프린스 존스의 삶 주변에 빨간 줄을 그었던 바로 그 손이 게토 주변에 빨간 줄을 그었다.

나는 너를 두려움 속에서, 또는 가짜 기억 속에서 키우고 싶지 않았다. 네가 억지로 기쁨을 감추고 네 눈을 가려 버리는 건 원하지 않았어. 내가 너에게 원했던 건 의식이 깨인 사람으로 성장하는 거였다. 그래서 너에게 어떤 것도 감추지 않기로 결심했지.

네가 열세 살 때, 처음으로 너를 일터에 데리고 갔던 날을 기억하니? 그날 나는 한 죽은 흑인 소년의 어머니를 보러 갈 예정이었다. 그 소년은 한 백인 남자와 거친 말을 주고받다가 죽임을 당했는데, 그가 음악의 볼륨을 줄이려 하지 않았다는 이유 때문이었어. 그 살인자는 자신의 총을 비우고 나서 여자 친구를 차에 태우고 호텔로 갔다. 그들은 술을 마셨지. 피자도 한 판 주문했어. 그러고는 다음 날 한 가해지자 자수했어. 그 남자는 엽총을 보았다고 주장했지. 자기 목숨이 위태로웠기 때문에 정당한 폭력을 행사했고 자기가 이긴 것뿐이라고 주장했어. 〈나는 피해자였고 승리자였다〉고. 예전의 미국인 약탈자 세대들이 주장했던 것처럼 말이다. 엽총 같은 건 전혀 발견되지 않았다. 그럼에도 그 주장이 배심원에게 영향을 미쳤고, 살인자는 소년을 살해한 죄가 아니라 소년의 친구들이 달아나려고 할 때 반복해서 총을 쏜 행위로 유죄 선고를 받았다. 그들에게 검은 몸을 파괴한 것쯤은 얼마든지 허용할 수 있는 일이었다. 다만 효율적으로 했다면 더 나았을 거라는 얘기지.

살해된 이 흑인 소년의 어머니는 당시 그 사건을 기자들과 작가들에게 알리고 있었다. 우리는 타임스퀘어 호텔 로비에서 그녀를 만났다. 그녀는 중간 정도의 키에 갈색 피부였고, 어깨까지 머리를 기르고 있었어. 판결이 내려진 지 아직 일주일도 안 된 때였다. 하지만 그녀는 차분했고 굉장히 침착했지. 그녀는 살인자에게 분노하는 대신 자신이 말한 규칙이 충분히 전달되었는지 큰소리로 묻고 있었어. 평소 그녀는 자기 아들이 그가 믿는 것을 옹호하고 존중하는 사람이 되길 원했다. 실제로 그 소년은 자기 친구들에게는 큰소리로 음악을 들을 권리가 있다고, 여느 미국의 십 대처럼 행동할 권리가 있다고 믿었기 때문에 죽었지. 그러나 그녀는 여전히 궁금해하고 있었어. 「머릿속으로는 계속해서 이런 질문을 던져 봅니다. 우리 애가 말대꾸를 하지 않았다면, 큰소리로 대꾸하지 않았다면 아직 살아 있었을까?」

그녀는 자기 아들의 특별함, 한 번뿐이었던 그의 삶을 잊지 않을 거다. 그에게는 그를 사랑하는 아버지가 있었음을, 그녀가 암과 싸우는 동안 그를 돌봐 준 아버지가 있었음을 잊지 않을 거다. 그가 파티에서 빛나는 중심인물이었다는 걸, 그녀가 미니밴으로 실어 날라 주었던 새 친구들이 항상 그에게 있었다는 걸 잊지 않을 거다. 그리고 그녀는 자신이 하는 일을 통해 아들이 계속 살아 있도록 할 거야. 나는 그녀에게 그 판결에 분노한다고 말했어. 배심원단 중 누군가가 차 안에 총이 있었다는 말을 타당하게 여겼다는 사실 자체가 어이가 없다고도 말했지. 그녀는 자신도 어이가 없다고 했어. 하지만 자신이 차분하게 규명 노력을 한다고 해서 그녀가 그 일에 분노하지 않는다고 오해하지 말아 달라고 당부했어. 〈하지만 신께서는 복수에서 구원으로 내 분노의 초점을 돌려 주셨어요〉라고 그녀는 말했지. 신이 그녀에게 말을 걸었고 새로운 행동주의에 전념하라고 했다는 거다.

이윽고 살해당한 그 소년의 어머니가 일어서더니, 너를 향해 이렇게 말했지.「넌 살아 있어. 네가 중요하단다. 너는 가치 있는 존재야. 후드 티를 입을 권리, 원하는 만큼 크게 음악을 들을 권리, 모든 권리를 가지고 있어. 네가 너 자신일 모든 권리를 가지고 있어. 그리고 어느 누구도 네가 너 자신이 되는 걸 방해할 수는 없단다. 넌 너 자신이어야 해. 그리고 너 자신이 되기를 절대 두려워해선 안 돼.」

그녀가 그 말을 해주어서 고마웠다. 나도 똑같은 말을 하려고 노력해 왔지만, 만약 내가 했던 말에 그와 같은 방향성과 명료함이 없었다면, 고백하마, 그건 두렵기 때문이다. 그리고 나에겐 나를 일으켜 세워 줄 신이 없다. 난 그들이 몸을 부숴 버릴 때는 그들이 모든 것을 부숴 버리는 것이라고 믿고 있고, 내가 알기로 우리 모두 ─ 그리스도교인, 무슬림, 무신론자까지 ─ 는 이 같은 진실에 대한 두려움 속에서 살고 있다. 육체 박탈은 일종의 테러리즘이고 그 위협은 우리 모두의 삶의 궤도를 바꿔 버린다. 이런 왜곡은 테러리즘처럼 고의적이야.

육체 박탈, 그 옛날 내가 알던 소년들을 사치스런 소유(所有)의 극장 안으로 들어가도록 강요했던 용(龍). 육체 박탈, 중간 계급 흑인 생존자들을 공격적인 수동성 속으로 떠밀고, 공공장소에서 우리의 대화를 제한하고, 우리의 가장 훌륭한 태도만 내보이게 하고, 절대 주머니에서 우리의 손을 빼지 못하게 만들고, 마치 〈난 갑작스러운 행동은 하지 않아요〉라고 말하는 것처럼 우리의 모든 태도를 규율에 맞게 만들어 버린 악마. 육체 박탈, 아직 소년에 불과했던 나에게 두 배는 더 잘할 것을 요구하던 학창 시절의 뱀. 살인은 우리 주변 어디에나 있고 이 살인의 기획자는 우리를 초월해 있다는 것을, 살인이 나머지 일부 사람들의 목적에 부합한다는 것을 우리는 마음 깊은 구석 어느 소리 없는 공간에서 알고 있었다. 우리의 생각이 옳았다.

내가 살면서 얼마나 나아갔는지 가늠하는 방법은 이렇다. 우선 과거의 나, 옛날 웨스트볼티모어에서 노스와 펄래스키 교차로를 에둘러 돌아가고, 머피 홈스를 피하고, 학교와 거리를 두려워하던 나를 상상한다. 그러고는 사라진 그 소년에게 현재 내 삶의 초상화를 보여 주면서 〈너라면 어떻게 할 거냐〉라고 묻는 상상을 한다. 딱 한 번, 네가 태어나고 2년이 지날 무렵, 내 인생의 싸움에서 첫 두 번의 라운드에서 그 소년이 실망할 거라고 믿었던 적이 있어.

나는 지금 내 마흔 번째 해라는 낭떠러지 앞에서, 그 소년이 혹시라도 상상할 수 있었던 모든 것을 훌쩍 넘어선 내 삶의 한 지점(아주 중요하지는 않지만)에 도착하고 나서 너에게 이 글을 쓴다. 옛날에 내가 그 거리를 터득하지 못했던 건 몸짓 언어를 충분히 빨리 해독할 수 없었기 때문이야. 내가 학교를 터득하지 못했던 건 학교가 나를 이끌어줄 수 있는 곳으로 보이지 않았기 때문이야. 하지만 나는 쓰러지지 않았다. 이제 나에겐 가족이 있다. 나에겐 내 일이 있다. 파티에서 고개를 떨군 채 사람들에게 난 〈작가가 되려고 노력 중〉이라고 말할 필요성을 더 이상 느끼지 않아. 그리고 비록 신을 믿지는 않지만, 그럼에도 내가 인간이라는 사실, 공부하는 재능을 가지고 있고 우주를 떠다니는 모든 물질 사이에서 주목받을 수 있다는 사실에는 여전히 경외감을 가지고 있어.

나는 혼자서 공부를 해오는 동안, 세상과 나 사이의 골을 속속들이 이해하게 해줄 올바른 질문을 찾는 데 많은 부분을 바쳤다. 하지만 〈인종〉 문제를 연구하는 데 내 시간을 쓰지는 않았지. 〈인종〉 자체는 그 문제를 다른 말로 바꾼 것이자 축소해 말하는 것에 지나지 않아. 너도 알다시피, 이따금 미련한 일부 사람들 — 보통 자신이 백인이라고 믿는 — 이 우리가 나아갈 길로서 흑과 백이 함께 뒹구는 술잔치, 우리 모두가 베이지가 되고 따라서 똑같은 〈인종〉이 되어야만 끝나는 그런 잔치를 제안한단다. 하지만 〈검은〉 사람의 대다수는 이미 베이지야. 그리고 문명의 역사를 보면, 더는 그들의 목적 — 권리의 우산을 중심으로 그 안과 바깥에 사람들을 편성하는 것 — 에 부합하지 않는다는 이유로 나중에 버려진 죽은 〈인종들〉(프랑크족, 이탈리아 민족, 게르만족, 아일랜드 민족)이 어지러이 널려 있다.

만약 오늘 내 삶이 끝난다면, 내 삶은 행복했다고 말할 거다. 공부를 통해서, 지금 너에게 권하는 그 투쟁을 통해서 커다란 기쁨을 맛보았다고 말이다. 너도 지금쯤 이 대화를 통해 그 투쟁이 여러 번에 걸쳐 — 볼티모어에서, 메카에서, 부성애 속에서, 뉴욕에서 — 나를 깨뜨리고 또 새로 만들어 왔다는 걸 알았을 거야. 그런 변화는 내가 더 이상 거짓말에 속지 않게 되었을 때에만, 〈꿈〉을 거부했을 때에만 찾아오는 황홀감으로 나에게 보답해 주었다. 하지만 더 나아가서 그런 변화는 나에게 공부라는 유일한 재능을 어떻게 최대한 활용할지, 내가 보는 것에 대해 어떤 질문을 할지, 그런 질문 이후에 보이는 것에 대해선 또 어떤 질문을 할지를 가르쳐 주었어. 왜냐하면 질문은 답만큼이나, 아니 어쩌면 답보다 훨씬 더 중요하기 때문이야.

하지만, 아아, 내 눈은 무엇을 보았던 걸까. 내가 어렸을 때 내 몸의 어떤 부분보다 더 많이 고통받았던 건 내 눈이었다. 유년기의 기준에서 볼 때 내가 그럭저럭 잘 지내 왔다 해도, 그 기준 자체는 박탈당한 계층의 어린 소년의 눈으로 보았던 방식에 의해 제한되어 있었다는 사실을 덧붙여야 할 거야. 그때는 〈꿈〉이 최고 정상인 것 같았지. 자라서 부자가 되는 것, 그리고 한적한 교외에서 서로 붙어 있지 않고 독립된 집에 사는 것, 완만하게 굽은 길이 있는 막다른 골목의 작은 공동체, 십 대가 볼 만한 영화가 상영되고 아이들은 나무 위에 트리하우스를 짓는 그런 동네, 그리고 십 대들이 대학에 가기 전 방황하는 마지막 1년 동안 호숫가에 주차한 차 안에서 사랑을 나누는 그런 곳에서 사는 꿈 말이다. 나에게 그 〈꿈〉은 세상의 끝, 미국적 야망의 최절정인 것 같았어. 우리 집 거실로 날아오는 그 소식 너머에, 그 교외 너머에 무엇이 더 존재할 수 있었겠니?

그러나 네 엄마는 알고 있었다. 아마도 네 엄마는 그런 장소의 물리적 경계 안에서 자랐고, 〈몽상가들〉 근처에서 살았기 때문일 거다. 아마도 그건 자신이 백인이라고 생각하는 사람들이 네 엄마에게 똑똑하다고 말하고, 이어서 칭찬의 뜻으로 사실은 네 엄마가 그렇게 검지 않다는 말을 덧붙였기 때문일 거다. 아마도 자기들도 실은 흑인이면서 네 엄마에게 〈피부가 검은 여자애치고는 예쁘다〉고 말하는 소년들이 있었기 때문일 거다. 하지만 네 엄마는 결코 편안하게 느낀 적이 없었고, 그래서 그런 편치 않은 감정이 네 엄마에게 중요한 다른 장소가 있을지 모른다는 가능성을 생각하게 했고, 메카로 이끌었고, 뉴욕으로, 그리고 그 너머로 나아가게 했던 거다.

네 엄마는 서른 살 생일에 파리로 여행을 떠났지. 네가 그때를 기억할지는 모르겠구나. 넌 그때 겨우 여섯 살이었으니까. 우리는 그 일주일 동안 아침으로 생선 튀김, 저녁으로 케이크를 먹으면서, 속옷은 조리대에 팽개쳐 두고 집이 무너져라 고스트페이스 킬라[23]의 노래를 틀고 지냈지. 난 단 한 번도 미국을 떠난다는 — 일시적으로라도 — 생각을 해본 적이 없었다. 아아, 내 눈은 무엇을 보았던 걸까. 나와 같은 대학에 다닌 친구 젤라니[24]는 언젠가 여행이란 핑크색 정장 한 벌 빌리는 데 돈을 날리는 것과 같은 무의미한 사치라고 생각했었다고 말한 적이 있다. 그때는 나도 똑같은 생각을 했었다. 그래서 나는 파리 여행을 간다는 네 엄마의 꿈이 당혹스러웠어. 그런 꿈은 이해할 수 없었으니까 — 그리고 이해해야 한다고 생각하지도 않았고. 내 마음 한구석은 여전히 7학년 프랑스어 교실 안으로 돌아가

23 Ghostface Killah. 랩 가수 겸 힙합 그룹 우탱 클랜의 멤버.
24 Jelani Cobb. 작가, 코네티컷 대학교 역사 교수. 코츠와는 하워드 동창생으로, 2013년 코츠 가족이 파리에서 여름을 보내는 동안 잠시 함께 지냈다.

있었어. 당장 내 몸의 안위만을 걱정하던 교실로 돌아가 사람들이 목성(木星)을 생각하듯 프랑스를 생각하고 있었다.

그러나 이제 네 엄마는 떠나서 그 꿈을 이루었고, 돌아왔을 때 네 엄마의 눈은 춤을 추고 있었어. 바깥세상의 온갖 가능성, 단지 자신에게만이 아니라 너와 나에게도 열린 그 가능성을 보았던 거야. 그 감정이 퍼졌던 방식은 매우 우스웠다. 그건 마치 사랑에 빠지는 일 같았어 ─ 아주 작은 것들이 너를 흥분시키고 밤새 너를 깨어 있게 만드는 것들은 너에게 너무도 특별해서, 네가 그것을 설명하려 애쓸 때 상대가 해줄 수 있는 거라곤 한 번의 말없는 끄덕임이 전부인 그런 거였다.

네 엄마는 파리 곳곳을 다니면서 수많은 문, 거대한 문의 사진을 찍어 왔어. 짙은 파랑색 문, 상아색 문, 터키옥색 문, 불타는 듯 새빨간 문. 나는 할렘에 있는 우리의 작은 아파트 안에서 이 거대한 문들의 사진을 가만히 들여다보았다. 한 번도 본 적이 없는 문들이었어. 그렇게 거대한 문들이 존재할 수 있다는 생각은 아예 해본 적도 없었지. 세계의 한쪽에서는 그렇게 흔하면서 반대쪽에서는 전혀 찾아볼 수도 없는 문들이라니. 네 엄마의 얘기를 듣고 있으려니 프랑스는 하나의 사고 실험이 아니라 다른 전통을 가지고 있고, 정말로 다른 삶을 살고 있고, 전혀 다른 미적 감각을 가

진 실재의 사람들로 가득한 현실의 장소로 다가왔어.

돌이켜 보면 그때 나는 사방에서 메시지를 받고 있었던 것 같구나. 그 무렵 내 주변에는 다른 세상과 연결되어 있는 친구들이 아주 많았어. 〈인종을 자랑스럽게 여겨라〉 하고 어른들은 말하곤 했지. 하지만 그때쯤 나는 내가 생물학적인 한 〈인종〉에 결속되어 있다기보다는 일단의 사람들과 결속되어 있다는 것, 그리고 이 사람들이 흑인인 이유는 어떤 통일된 색깔이나 통일된 신체적 특징 때문이 아니라는 걸 알고 있었다. 이들이 결속되어 있는 건 〈꿈〉의 무게에 짓눌려 시달렸기 때문이고, 이들을 결속하고 있는 것은 모든 아름다운 것들, 모든 언어와 매너리즘, 모든 음식과 음악, 모든 문학과 철학, 그리고 〈꿈〉의 무게 아래서 다이아몬드처럼 깎아 낸 모든 공용어였지.

얼마 전에 나는 공항에서 컨베이어벨트에서 가방을 들어 올리고 있었다. 그러다가 한 젊은 흑인 청년과 부딪혔고, 〈미안해요My bad〉라고 말했지. 그 청년은 고개를 들지도 않고 대답하더구나. 「미안하긴요You straight.」 이렇게 오간 말에는 매우 사적인 관계, 우리가 흑인이라고 부르는 이 부족의 두 이방인 사이에만 존재하는 특정한 친밀감이 담겨 있었지. 다시 말해 나는 한 세상의 일부였던 거다. 그리고 주변을 둘러보면 다른 여러 세상의 일부이기도 한 친구들이 있었지. 유대인의 세상, 뉴요커의 세상, 남부인의 세상, 게이 남자의 세상, 이민자의 세상, 캘리포니아인의 세상, 아메리카 원주민의 세상, 또는 이들 중 어떤 것끼리 결합된 세상, 태피스트리처럼 서로 엮여 들어 간 세상들. 비록 나는 이 많은 세상들 중 어느 한 곳에서도 토박이일 수는 없었지만, 우리 사이에 서 있는 인종만큼 본질주의적인 것은 없다는 걸 알고 있었지. 그때까지 나는 참으로 많은 글을 읽었다. 그리고 나의 눈 — 나의 아름답고 소중한 눈 — 은 날마다 더 강해지고 있었다. 그리고 나는 세상과 나를 갈라놓는 것이 결코 원래부터 우리에게 내재되어 있지는 않았다는 것, 그것은 우리에게 이름을 붙이려는 사람들, 우리에게 붙은 이름이 우리가 실제로 할 수 있는 것보다도 더 중요하다는 믿음을 주입시키려는 사람들이 가했던 실질적인 상처라는 걸 알았어.

미국에서 그 상처는 남들보다 더 짙은 피부색, 더 두꺼운 입술, 더 넓은 코를 가지고 태어나는 데 있는 게 아니라, 그 후에 일어나는 모든 것에 있다. 그 청년과 딱 한 번 오간 말에서 나는 내 민족의 사적인 언어를 말하고 있었지. 그것은 정말 찰나의 친밀감이었지만, 그러나 내 검은 세상의 많은 아름다움을 포착하고 있었다. 네 엄마와 나 사이의 허물없음, 메카에서의 기적, 할렘의 거리 안에서 내가 사라진다고 느끼는 방식 같은 것들을. 그 감정을 인종적이라고 한다면, 그건 우리 선조들이 깎아 낸 그 모든 다이아몬드를 약탈자들에게 건네주는 꼴일 거다. 우리가 그 감정을 만들었다. 비록 그것이 살해당한 사람들, 강간당한 사람들, 육체를 박탈당한 사람들의 그림자 속에서 빚어졌다고 해도, 그래도 그것은 우리가 만들었다. 바로 이것이 내 두 눈으로 보아 왔던 아름다운 것들인데, 내가 여행을 떠날 수 있기까지는 어쩌면 이런 관점이 필요했던 것 같구나. 내가 어딘가에서 왔다는 것, 내 고향이 어느 누구의 고향만큼이나 아름다운 곳이라는 걸 알 필요가 있었던 것 같구나.

그 문 사진들을 보고 7년이 지났을 때, 나는 처음으로 성인 여권을 받았다. 더 일찍 그랬더라면 얼마나 좋았을까. 옛날 그 프랑스어 교실에 앉아 있을 때, 동사 변화, 동사, 성(性)이 있는 명사들을 더욱 웅대한 어떤 것에 연결시켰더라면 얼마나 좋았을까. 누군가 나에게 그 수업은 정말 중요하다고, 어느 다른 파란 세상으로 가는 문이라고 말해 주었다면 얼마나 좋았을까. 나는 그 세상을 직접 보고 싶었고, 그 문들과 그 뒤의 모든 것을 보고 싶었다. 출발하던 날, 나는 나에게 정말 많은 것을 보여 주었던 네 엄마와 어느 식당에 앉아 있었다. 나는 네 엄마에게 말했지. 「겁이 나.」 나는 실제로 그쪽 언어를 몰랐거든. 그쪽 관습도 알지 못했어. 난 혼자가 될 것 같았다. 네 엄마는 잠자코 듣고 있다가 내 손을 잡아 주더구나. 그리고 그날 밤, 나는 우주 여행선에 탑승했어. 그 우주 여행선은 어둠 속으로 차올랐고, 하늘을 뚫고 나아갔다. 과거의 웨스트볼티모어를 뚫고 지나갔고, 과거의 메카, 과거의 뉴욕, 그리고 내가 알던 모든 언어와 모든 스펙트럼을 뚫고 지나갔다.

내 티켓은 우선 제네바로 나를 데려갔어. 모든 일이 아주 빠른 속도로 일어났지. 환전을 해야 했다. 공항에서 시내로 들어가는 열차를 찾아야 했고, 그런 다음에는 파리로 가는 또 다른 열차를 찾아야 했다. 나는 몇 달 전부터 프랑스어 공부를 띄엄띄엄 해오고 있었어. 그때쯤에는 프랑스어의 폭풍 속에 실제로 흠뻑 젖어 있었지만, 그 언어의 단어 몇 방울 ─ 〈누구〉, 〈유로〉, 〈당신〉, 〈오른쪽으로〉 ─ 을 포착할 수 있을 정도의 준비에 불과했어. 나는 여전히 몹시 두려웠다.

열차 시간표를 살피던 나는 내가 빈에서, 밀라노에서, 또는 내가 아는 어느 누구도 들어본 적이 없는 알프스 산지의 어느 마을에서 출발하는 엉뚱한 한 장의 티켓과 같다는 걸 깨달았어. 그 일은 바로 그때 일어났다. 아주 먼 곳에 와 있다는 깨달음, 두려움, 알 수도 없는 가능성들, 그 모든 것 ─ 공포, 경이로움, 기쁨 ─ 이 하나의 관능적인 짜릿함으로 녹아들었다. 그 짜릿함이 전혀 낯설지만은 않더구나. 그것은 무어랜드 도서관에서 나를 덮치려 달려오던 파도와 비슷했다. 그것은 와인 잔을 들고 웨스트브로드웨이로 쏟아져 나오던 사람들을 지켜볼 때 느꼈던 마약 주사의 느낌과 비슷했다. 그것은 파리의 문들을 보면서 느꼈던 그 모든 것이었다. 그리고 그 순간 온갖 고뇌와 서투름, 혼란을 안겨주는 변화들이야말로 내 삶을 규정하는 사실이라는 걸 깨달았고, 난생처음 내가 진짜로 살아 있음을, 내가 진짜로 공부하고 관찰하고 있음을 깨달았어. 심지어 내가 오래전부터, 과거 볼티모어에서도 살아 있었음을 알게 된 거야. 나는 항상 살아 있었다. 나는 항상 해석하고 있었다.

파리에 도착했다. 6번 구(區)의 한 호텔에 체크인 했지. 현지의 역사에 대해서는 전혀 아는 바가 없었어. 볼드윈이나 라이트[25]에 관해서도 별로 생각하지 않았지. 사르트르나 카뮈는 읽은 적이 없었고, 내가 카페드플로르나 레되마고[26]를 지나간 적이 있다고 해도 그때는 특별히 눈여겨보지 않았어. 그 어떤 것도 중요하지 않았어. 그날은 금요일이었고, 내게 중요했던 건 엄청나게 다양한 구성의 사람들

25 20세기 미국 흑인 문학을 대표하는 두 작가, 제임스 볼드윈과 리처드 라이트. 두 사람은 미국의 인종차별을 피해 보다 자유로운 도시인 파리에서 생활했다.
26 19세기 말 프랑스의 지성인들이 찾아 토론을 즐겼던 카페들.

로 북적이는 거리들이었지. 십 대들은 카페 안에 모여 있었다. 초등학생 아이들은 책가방을 길가에 팽개쳐 둔 채 거리에서 공을 차고 있었다. 나이 든 부부들은 긴 코트 차림으로 스카프를 바람에 날리거나, 캐주얼 재킷 차림이었다. 20대 젊은이들은 아름답고 근사해 보이는 아무 건물에서건 창밖으로 몸을 내밀고 있었다. 그 광경은 뉴욕을 떠올리게 했지만, 늘 존재하는 저급한 두려움은 없었어. 사람들은 아무런 갑옷도 입고 있지 않았다. 아니 내가 알아볼 만한 갑옷은 전혀 없었지. 샛길과 골목길마다 바, 식당, 카페들이 터질 듯 들어서 있었다. 걸음을 걷고 있지 않은 사람들은 포옹하고 있었다. 나는 마치 어떤 자연권도 초월한 듯한 기분을 느끼고 있었다. 나의 카이사르는 기하학적이었다. 나의 대형은 칼처럼 날카로웠다. 나는 도시 바깥쪽을 걷다가 스튜 안의 버터처럼 그 도시 안으로 녹아들었다. 내 머릿속에서는 빅 보이의 노래가 들려왔다.

난 그냥 힙합 가수일 뿐, 청바지엔 날카로운 주름이 졌어.
깨끗한 흰색 티셔츠 한 장에 내 모자는 살짝 동쪽을 가리키지.[27]

27 힙합 듀오 아웃캐스트의 「웨스트 서배나West Savannah」 중 일부. 빅 보이의 자전적인 가사다.

한 친구와 함께 저녁 식사를 했어. 그 식당은 커다란 거실 두 개 크기였지. 테이블이 다닥다닥 놓여 있었는데, 우리를 앉히기 위해 여종업원은 무슨 마법을 부리듯 한 테이블을 당기고는 높은 의자에 어린아이를 앉히듯 우리를 안으로 끼워 넣었지. 화장실에 가려면 그 여종업원을 불러야 했어. 주문할 시간이 되었을 때, 나는 되지도 않는 프랑스어를 떠들며 그녀에게 팔다리를 휘저었어. 그녀는 고개만 끄덕일 뿐 웃지 않더구나. 잘못된 태도는 전혀 보이지 않다. 우리는 기가 막히게 훌륭한 와인 한 병을 마셨지. 난 스테이크를 먹었다. 골수를 곁들인 바게트를 먹고 간을 먹었다. 에스프레소를 마셨고 이름도 기억할 수 없는 디저트를 먹었다. 내가 쥐어짤 수 있는 모든 프랑스어를 사용해 나중에 그 여종업원에게 식사가 아주 훌륭했다고 말하려 했다. 그녀가 내 말을 자르며 영어로 말하더구나. 「지금껏 드신 것 중에 가장 훌륭했다는 거죠?」 나는 걷기 위해 일어섰는데, 메뉴의 절반을 흡입한 뒤였음에도 페더급 선수처럼 몸이 가뿐했어.

다음 날엔 일찍 일어나 도시를 걸어 다녔다. 로댕 박물관을 방문했지. 그러고는 한 간이식당에 들러서, 파티에서 아름다운 소녀에게 다가가는 소년처럼 두려움에 떨면서 맥주 두 잔을 주문했고 다시 버거 하나를 주문했다. 나는 뤽

상부르 공원을 향해 걸어갔어. 그때가 오후 네 시 무렵이었지. 어느 벤치에 앉았다. 그 공원은 사람들로, 역시나 온갖 낯선 행동과 낯선 분위기의 사람들로 넘쳐났어. 그 순간 이상한 외로움이 나를 덮치더구나. 어쩌면 온종일 우리말을 한마디도 못 해서 그랬는지도 모르지. 아니 어쩌면 그전에는 단 한 번도 공원에 앉아 본 적이 없어서, 그것이 내가 하고 싶은 일이었다는 것조차 몰라서 그랬는지도 모르겠구나. 그런데 내 주변에는 그 일을 일상적으로 하는 사람들뿐이었어.

정말로 내가 다른 이들의 나라에 와 있다는 생각, 그러면서도 일종의 필요에 의해 그들의 나라 밖에 있다는 생각이 들었어. 미국에서 나는 한 방정식의 일부였지. 설사 그것이 내가 좋아하는 부분은 아니라고 해도 말이야. 나는 평일 한낮 23번가에서 경찰이 불러 세우는 그런 부분이었다. 메카를 향해 떠밀려 갔던 그런 부분이었다. 나는 그냥 아버지가 아니라 흑인 소년의 아버지였다. 나는 그냥 배우자가 아니라 흑인 여자의 남편, 검은 사랑이라는 화물 기호였다. 그러나 그 공원에 앉아 있던 나는 난생처음으로 이방인이었다. 나는 선원이었어. 육지도 없이 단절된 선원. 그리고 이런 특별한 외로움을 지금까지 한 번도 느껴 본 적이 없다는 것, 다른 누군가의 꿈 바깥으로 아주 멀리 떨어져 있는 자신을 느껴 본 적이 없다는 게 유감스러웠다. 그러자 이제 내 세대의 사슬 — 역사와 정책에 의해 특정 지역에 갇혀 있는 내 몸 — 의 무게가 더욱 깊게 다가왔어. 더러 우리 중에는 도망치는 이들도 있었다. 하지만 게임은 부정한 주사위로 진행되지. 내가 더 많이 알았더라면, 그걸 더 일찍 알았더라면 좋았을 걸 하는 아쉬움이 밀려왔다.

그날 밤, 센 강 근처 오솔길마다 십 대들이 모여 그 또래들이 하는 온갖 것들을 지켜보던 내 모습이 떠오르는구나. 그리고 내 삶이 그랬다면 얼마나 좋았을까, 두려움으로부터 멀리 떨어진 과거를 가졌다면 얼마나 좋았을까 생각하던 기억이 나는구나. 가까운 과거든 기억 속의 먼 과거든 나에겐 그런 과거가 없었지. 그러나 나에게는 네가 있었다.

우리는 그해 여름 다시 파리를 찾았다. 네 엄마가 그 도시를 사랑했기 때문이고 내가 그 언어를 사랑했기 때문이지만, 무엇보다도 너 때문이었어.

나는 네가 너 자신의 삶을 살기를, 두려움과는 떨어진 삶을 살기를 바랐다 — 심지어 나와도 떨어진 삶을 살기를 바랐어. 나에겐 상처가 있다. 나에겐 오랜 관례들이 새겨져 있고, 그것이 한 세계 속에서 나의 방패가 되어 주었지만 그런 다음에는 다시 나를 사슬로 묶어 버렸지. 나에게 전화해서 네 키가 얼마나 자라고 있는지 물으시던 네 할머니 생각이 난다. 할머니는 언젠가는 네가 〈나를 시험하려〉 들 거라고 말씀하셨지. 나는 만약 그런 날이 온다면, 그날을 내가 아버지로서 완전히 실패한 날로 여길 거라고 말씀드렸어. 왜냐하면, 내가 너에 대해 가진 것이 지배력뿐이라면 사실상 나는 아무것도 가지지 않은 거나 마찬가지이기 때문이야. 하지만 아들아, 아빠를 용서하렴. 나는 할머니 말씀이 무슨 뜻인지 알고 있었고, 네가 더 어렸을 때는 나도 똑같은 생각을 했었다. 그리고 지금은 그 생각이 부끄럽고, 나의 두려움이 부끄럽고, 내가 네 손목에 채우려고 했던 세대 간의 사슬이 부끄럽구나.

너와 나는 지금 우리가 함께 지낼 마지막 시기로 들어서고 있다. 내가 너에게 더 부드럽게 대했더라면 좋았을 걸. 네 엄마는 나에게 너를 사랑하는 방법을 가르쳐 주어야 했지. 매일 밤 어떻게 너에게 입을 맞추고 사랑한다고 말해 줘야 하는지를 말이다. 사실 지금도 그건 아주 자연스러운 행동이라기보다는 하나의 의례처럼 느껴진다. 그건 내가 상처를 가지고 있기 때문이다. 내가 엄격한 집안에서 배웠던 낡은 방식에 매여 있기 때문이다. 비록 그 자신의 나라에 의해 사방이 포위되어 있어도 사랑이 넘치는 집이었지만, 그래도 엄격한 건 사실이었다. 심지어 파리에서도 나는 낡은 방식들, 통로에 들어설 때마다 뒤를 살피고 항상 달아날 준비를 하는 본능을 떨쳐 버리지 못했었다.

파리에 머문 지 몇 주가 지났을 때, 내가 프랑스어 실력을 키우고 싶었던 것만큼이나 영어 실력을 키우고 싶어 하던 한 친구를 사귀었어. 어느 날 우리는 노트르담 대성당 앞의 군중 속에서 만났지. 우리는 라탱 지구로 걸어갔다. 그런 다음엔 한 와인 가게로 향했어. 그 와인 가게 밖에는 벤치가 있었지. 우리는 거기 앉아 레드 와인 한 병을 마셨다. 고기, 빵, 치즈가 수북하게 나오더구나. 이게 저녁 식사인가? 여기 사람들은 이렇게 하나? 난 그걸 어떻게 생각해야 할지도 알 수 없었어. 더욱이 이 모든 게 나에게 무슨 꿍꿍이를 가지고 일을 벌이기 위한 정교한 제의는 아닐까 하는 생각도 들었다. 내 친구가 계산하더구나. 나는 고맙다고 인사했다. 하지만 자리에서 일어설 때 난 그가 먼저 앞장서도록 했지. 그 친구는 그 도시 모퉁이만 돌면 나올 것 같은, 그런 옛날 건물 중 하나를 나에게 보여 주고 싶어 했어. 그리고 그가 나를 이끌고 가는 내내, 나는 그가 분명 어느 골목길로 재빨리 방향을 틀 거라고 확신하고 있었지. 그 골목에는 어떤 녀석들이 나를 벗겨 먹으려고 기다리고 있을 테고……. 그런데, 정확히 뭘 노리고? 하지만 나의 새 친구는 그냥 건물을 보여 주었을 뿐이고, 나와 악수하고 근사하게 〈봉수아르〉라고 인사하고는 광활한 밤 속으로 걸어 들어갔다. 멀어지는 그를 지켜보면서, 나는 경험의 일부를 놓쳐 버렸다는 걸 알았지. 내 두 눈 때문에, 내 눈이 볼티모어에서 만들어졌기 때문에, 내 눈이 두려움으로 가려져 있었기 때문에.

내가 원했던 건 눈을 가리는 그 두려움과 너 사이에 최대한 거리를 띄어 놓는 것이었다. 다른 법칙으로 살아가는 다른 사람들을 네가 보았으면 했다. 카페에서 서로 나란히 옆에 앉아 창밖 거리를 내다보는 연인들을, 헬멧도 쓰지 않고 긴 흰색 원피스를 입고서 낡은 자전거로 거리를 내달리는 여자들을, 짧은 청반바지를 입고 롤러스케이트를 타고 쌩하니 지나가는 소녀들을 네가 보았으면 했다. 연어색의 바지와 흰색 린넨 셔츠를 입고 밝은색 스웨터를 목에 둘러맨 남자들을, 모퉁이를 돌아 사라졌다가 지붕을 내린 호화로운 자동차를 몰고 나오는, 자기 삶을 사랑하는 남자들을 네가 보았으면 했다. 그들 모두가 담배를 피운다. 그들 모두가 저 모퉁이만 돌면 소름끼치는 죽음이 또는 떠들썩한 파티가 기다리고 있다는 걸 알고 있어. 우리가 생제르맹데프레 거리에 서 있을 때 네 눈이 촛불처럼 빛나던 모습을 기억하는지? 그 표정이 내가 사는 이유의 전부였다.

그리고 그때조차도, 나는 네가 의식이 깨인 사람이 되기를 바랐다. 단 한 순간이라도 두려움에서 떨어져 있는 것이 곧 투쟁을 벗어나는 여권은 아니라는 걸 이해하기를 바랐다. 혹인이라는 것, 설사 그것이 다른 장소에서는 다른 것을 의미한다고 해도 우리는, 너와 나는 항상 혹인일 거야. 프랑스는 그 자신의 꿈을 딛고, 숱하게 쓰러졌던 수많은 몸을 딛고 건설된 나라다. 네 이름 자체가 프랑스에 맞섰던 남자, 식민지화를 통한 국가적인 도둑질 사업에 맞섰던 남자에게서 따왔다는 사실을 떠올려 보렴. 우리의 형편없는 프랑스어 실력에서 우리가 미국인이라는 게 드러났지. 하지만 거기서 우리의 피부색은 그럴 정도로 두드러진 특징이 아니었다. 그리고 자신이 백인이라고 생각하는 미국인들이 우리를 대하는 방식 — 뭔가 성적이고 음란한 — 에는 뭔가 특이한 게 있다는 건 사실이다. 우리는 프랑스에서 노예가 되지 않았다. 우리는 그들의 특별한 〈문제〉가 아니며, 그들의 국가적인 죄의식도 아니다. 우리는 그들의 깜둥이가 아니다. 하지만 여기에 어떤 위안거리가 있다고 해도, 너에게 마음껏 즐겨 보라고 권할 만한 그런 건 아니구나.

네 이름을 기억하렴. 너와 내가 형제임을, 대서양을 건너 저질러진 강간의 아이들임을 기억하렴. 그 기억에 따라오는 더욱 폭넓은 의식을 기억하렴. 그 의식이 궁극적으로는 결코 인종적일 수는 없다는 걸 기억하렴. 그 의식은 우주적이어야 한다. 파리의 길거리에서 아이들을 데리고 구걸하고 있던 집시들과, 그들에게 말을 걸 때 함께 건네지던 악의를 기억하렴. 노골적으로 파리가 싫다고 말하고, 그러고는 네 엄마와 나를 보면서 우리 모두는 아프리카의 깃발 아래 하나라고 말하던 알제리 출신 택시 운전사를 기억하렴. 마치 폼페이를 짓다 말고 그 도시를 건설했다는 것처럼, 파리의 아름다움 아래서 우리 모두가 느꼈던 그 우르릉거림을 기억하렴. 우리의 법칙과 우리나라의 셈법과 비슷하지만 우리가 완전히 이해하지는 못하는 어떤 물리학에 의해 그 거대한 공원과 기나긴 점심시간이 깡그리 지워져 버릴 것 같던 그 느낌을 기억하렴.

거기서 벤 이모부와 자나이 이모와 함께 있었던 건 다행이었다. 프랑스 사람들이 건설한 것에 대한 경외감과, 그들이 그 많은 것을 건설할 수 있었던 밑바탕에 있던 사람들에 관한 사실 사이에서 균형을 잡아 줄 다른 누군가가 있어야 했다. 성인기의 여행법을 배운 다른 누군가가 있어야 했다. 미국에서 흑인으로 살았고 자기 몸의 안전을 주로 걱정했던 사람들이 있어야 했다. 그러나 대서양 건너 우리나라에서 우리 몸을 억제하도록 만들었던 그 힘이 프랑스에게 국부(國富)를 안겨 주었던 힘과 무관하지 않다는 것은 우리 모두가 알고 있었다. 그들이 이룩한 것의 상당 부분은 아이티인의 몸에 대한 약탈을 토대로, 월로프족의 몸에 대한 약탈을 토대로, 투쿨로르 제국의 파괴를 토대로, 비산두구의 점령을 토대로 건설되었음을 우리는 알고 있었다.

그때가 트레이번 마틴의 살해범이 풀려났던 바로 그 여름이었고, 내가 탈출 속도 같은 건 없다는 걸 깨달은 바로 그 여름이었다. 고향은 어떤 언어로도 우리를 찾아내곤 한다. 네 생일을 축하하기 위해 자나이 이모와 벤 이모부, 네 외사촌들과 함께 나시옹 광장으로 가는 기차를 탔던 때를 기억하는지? 그때 지하철 바깥에서 항의 시위하며 서 있던 젊은이를 기억하는지? 그의 푯말을 기억하는지? VIVE LE COMBAT DES JEUNES CONTRE LE CRIMES RACISTES! USA: TRAYVON MARTIN, 17 ANS ASSASSINÉ CAR NOIR ET LE RACISTE ACQUITÉ(인종 차별 범죄에 대한 청년 투쟁 만세! 미국: 17세의 트레이번 마틴은 흑인이라는 이유로 피살, 인종주의자는 무죄 방면).

나는 목적 없던 내 젊은 날에 죽지 않았다. 알지 못하는 고뇌 속에서 사멸하지 않았다. 나는 감옥에 가지도 않았다. 나는 학교와 거리 이외에 또 다른 길이 있다는 걸 스스로에게 증명해 냈지. 나는 내가 어떤 엄청난 자연재해, 어떤 역병, 어떤 눈사태나 지진에서 살아남은 생존자에 속한다고 느꼈다. 그리고 이제 대학살에서 살아남아 한때 신비롭게 만 생각했던 땅에 도착하고 보니 모든 것이 하나의 후광 속에 던져진 것 같았다. 파리 사람들의 파스텔 색 스카프는 더욱 밝게 타오르고, 빵집에서 피어나는 아침 향기는 최면을 걸고, 나를 둘러싼 언어는 언어라기보다는 춤 같았지.

네가 걷게 될 길은 다를 거야. 그래야 하고말고. 너는 열한 살 때 이미 내가 스물다섯 살이 되도록 모르던 것들을 알고 있었다. 열한 살의 나에게 가장 중요했던 건 그저 내 몸의 안전뿐이었다. 내 삶은 그때그때 폭력과의 즉석 협상이었지. 내 집에서든 내 집이 아닌 데서든 어디든 마찬가지였어. 하지만 너는 이미 기대를 가지고 있고, 나는 너에게서 그 기대들을 본다. 생존과 안전만으로는 충분하지 않다. 너의 소망들 — 너는 꿈이라고 하겠지만 — 은 나에게 상반되는 감정들을 안겨 준다. 나는 네가 무척 자랑스럽다. 너의 개방성, 너의 야망, 너의 공격성, 너의 지성 말이야. 우리가 함께할 얼마 안 남은 시간 동안 내가 할 일은 그 지성을 지혜와 조화시키는 거다. 그 지혜의 한 부분이 바로 너에게 주어진 것 — 게이 바가 특별하지 않고 축구 팀 선수의 절반은 다른 언어를 쓰는 그런 도시 — 을 이해하는 거야. 내가 말하려는 건 그것들이 모두 네 것은 아니라는 거다. 네 안의 아름다움은 엄밀히 말해 네 것이 아니라, 대체로 네가 검은 몸을 하고도 비정상적으로 많은 안전을 누린 결과라는 얘기야.

어쩌면 바로 그런 이유로 해서, 마이클 브라운의 살해범이 처벌받지 않는다는 걸 알게 되었을 때 너는 그만 들어가야겠다고 말했겠지. 어쩌면 바로 그런 이유로 인해 너는 울고 있었겠지. 그 순간 너는 상대적으로 특혜받은 네 안전조차 〈꿈〉의 이름으로 시작되고 지속되는 공격을 결코 감당할 수 없다는 걸 이해했을 거야. 우리의 현재 정책은 너에게 이렇게 말한다. 만약 네가 그런 공격의 피해자가 되어 네 몸을 잃게 된다면, 어쨌거나 그건 네 잘못일 거라고. 트레이번 마틴의 후드 티가 그를 죽게 만들었다. 조던 데이비스[28]의 시끄러운 음악이 그랬다. 존 크로퍼드는 전시된 장난감 소총을 절대 만져서는 안 되는 거였다. 카지미 파월[29]은 정신 나간 사람처럼 행동해선 안 된다는 걸 알았어야 했다. 그리고 그들 모두에게는 아버지가 있었겠지 — 아버지가 있는 사람들도, 심지어 너도 마찬가지인 거야. 〈꿈〉은

---

28 Jordan Davis. 2012년 11월 23일, 플로리다 잭슨빌의 한 주유소에서 조던 데이비스(당시 고등학생)는 자동차에서 틀어 놓은 음악이 너무 크다며 시비를 걸어온 45세의 소프트웨어 개발자 마이클 데이비드 던과 말다툼 벌이던 중, 던의 총격에 의해 사망했다.

29 Kajieme Powell. 2014년 8월 19일, 스물다섯 살의 카지미 파월은 칼을 들고 수상한 행동을 보이다 경찰의 총격으로 쓰러졌다. 경찰은 현장에 도착하자마자 어떤 사전 경고도 없이 총을 쏜 것으로 밝혀졌다.

그 자체를 정당화하지 못하면 스스로 무너지고 말 거야. 너는 마이클 브라운에게서 처음 그걸 배웠지. 나는 그걸 프린스 존스에게서 처음 배웠어.

마이클 브라운은 그를 옹호하는 많은 이들이 추측하는 그런 식으로 죽지는 않았다. 그러나 여전히 의문 뒤의 의문들은 결코 질문되지 않았다. 한 경관을 공격한 행위가 재판도 없이, 그 경찰이 판사 겸 집행관 노릇을 하는 사형으로 처벌되어 마땅한 범죄일까? 우리가 문명에 바라는 게 그런 걸까? 그리고 〈몽상가들〉은 지방 자치랍시고 항상 퍼거슨[30]을 약탈하고 있어. 그들은 무슬림을 고문하고, 그들의 드론은 결혼식 파티에 폭탄을 퍼붓고 있으며(우연히도!), 마틴 루서 킹을 인용하면서 약자들을 위한 비폭력과 강자들을 위한 가장 큰 총에 환호하고 있다. 경찰이 우리 일에 관여할 때마다 죽음, 부상, 신체 불구가 일어날 수 있어. 누구나 그런 일을 당할 수 있다는, 또는 범죄자는 그럴 가능성이 더 높다는 말로는 충분하지 않아. 경찰이 프린스 존스를 추적하기 시작한 순간 그의 목숨은 위험에 처했던 거야.

〈몽상가들〉은 이것을 사업 비용으로 받아들이고, 우리

---

30 2014년 8월 10일, 열여덟 살의 흑인 소년 마이클 브라운이 백인 경찰관과 실랑이를 벌이다 경찰의 총에 맞아 사망한 곳이다. 퍼거슨은 빈곤층이 특히 많이 사는 도시다.

의 몸을 통화로 받아들인다. 그게 그들의 전통이기 때문이다. 노예로서 우리는 이 나라가 처음 손에 넣은 뜻밖의 횡재였고, 이 나라의 자유를 위한 착수금이었지. 남북 전쟁의 폐허와 해방 뒤에는 회개를 모르는 남부와의 재통합을 위해 〈면죄〉가 왔고 우리의 몸은 이 나라의 두 번째 담보물이 되었어. 뉴딜 정책에서 우리는 그들의 객실이었고 완공된 지하실이었다.[31] 그리고 오늘날, 사방으로 뻗어 가는 교도소 체계는 검은 몸들의 창고로 변해 〈몽상가들〉을 위한 직업 프로그램이자 수지맞는 투자물이 되었다. 오늘날 세계 교도소 수감자의 8퍼센트가 흑인인 이때, 우리의 몸은 백인이라는 〈꿈〉에 자금을 보충해 왔지. 검은 목숨은 값이 싸지만, 그러나 미국에서 검은 몸은 비교할 수 없는 가치를 지닌 천연자원이다.

31 대공황 극복과 경제 안정, 하층 계급 원조를 목표로 한 뉴딜 정책의 결과, 노동 시간 축소, 최저 임금 인상, 퇴직 연금, 실업 보험 보장, 주택 보급 계획 등이 실시되었다. 하지만 흑인들 대부분은 소작농, 농장 일꾼, 임시직 노동자였기 때문에 그런 혜택을 받을 수 없었다.

3

제임스 볼드윈

그리고 인류를 망각의 위기까지 몰고 왔다:

왜냐하면 그들은 자신이 하얗다고 생각하기 때문이다.*

*1984년 흑인들의 인기 잡지 『에센스*Essence*』에 발표했던 「〈하얗다〉는 것⋯⋯ 그리고 나머지 거짓말에 관하여」의 일부.

프린스 존스가 죽고 몇 년 동안, 그의 죽음이 드리운 그림자 속에서 삶을 계속 살아가도록 남겨진 사람들이 자꾸 생각나더구나. 그의 약혼녀를 생각하던 나는 아무런 설명도 없이 뒤집혀 버린 미래를 본다는 게 어떤 의미일지 궁금했다. 그 약혼녀가 딸에게 뭐라고 말할지 궁금했고 그의 딸이 어떻게 아빠를 상상할지, 언제 그를 그리워할지, 약혼녀는 그 상실을 어떻게 말로 설명할지 궁금했다. 그러나 가장 궁금했던 사람은 프린스의 어머니였는데, 내가 나 자신에게 주로 했던 질문은 항상 같은 질문이었다. 그분은 어떻게 사실까?

인터넷에서 그분의 전화번호를 검색했다. 그분에게 이메일을 보냈지. 그분이 답을 보내왔어. 그런 다음 나는 전화를 드렸고 찾아뵙기로 약속을 했다. 그분은 필라델피아의 바로 외곽, 출입문이 있는 작은 부자 동네에 살고 있었어. 내가 도착한 건 비 오는 화요일이었다. 나는 뉴욕에서 기차를 타고 가서 다시 렌터카를 빌렸어. 그전 몇 달 동안 프린스 생각이 참 많이 났어. 너와 네 엄마, 나 셋이서 메카에서 열리는 모교 방문 동창회에 갔었는데, 정말 많은 친구들이 왔지만 프린스는 없었지.

존스 박사가 현관에서 나를 맞아주었다. 그분은 다정하고 정중했으며 갈색 피부를 가지고 있었어. 겉보기에는 40대에서 70대 사이, 흑인의 정확한 나이를 가늠하기 어려워지는 나이대의 어디쯤으로 보였다. 우리가 나눈 대화의 주제를 고려하면 존스 박사는 매우 차분했는데, 나는 그 집에 머물던 대부분의 시간 동안, 그분이 실제로 느끼는 감정과 그분이 느낄 거라고 짐작되는 감정을 구분하려고 애써야 했어. 그때 내가 느꼈던 건 그분이 고통 가득한 눈을 통해 미소 짓고 있다는 것, 그리고 내 방문의 목적이 그 집 전체를 덮은 어두운 누비이불처럼 슬픔을 퍼뜨렸다는 것이었어.

안쪽에서 틀어 놓은 음악 — 재즈 아니면 가스펠 — 이 들렸던 것 같기도 한데, 그 기억과는 상반되게 모든 것을 압도하던 깊은 고요가 생각나는구나. 그분은 아마도 울고 있었던 것 같기도 해. 하지만 확신할 수는 없었다. 그분은 나를 커다란 거실로 안내했어. 집 안에 다른 사람은 없었다. 그때가 1월 초였지. 크리스마스트리가 아직 거실 끝에서 있었고, 그분의 딸과 죽은 아들의 이름이 쓰인 스타킹이걸려 있었고, 장식 테이블에는 그 친구 — 프린스 존스 —의 사진 액자 하나가 놓여 있었다. 그분이 무거운 유리잔에물을 내왔어. 본인은 차를 마셨지. 그분은 자신이 루이지애나 오펄루서스에서 나고 자랐고, 자신의 선조들이 바로 그지역에서 노예로 살았으며, 그 노예 생활의 결과로 대대로어떤 두려움이 메아리처럼 전해졌다는 이야기를 들려주었다. 「내가 네 살 때 처음으로 그게 분명해졌어요.」

엄마와 난 시내로 가고 있었지요. 우리는 그레이하운드버스를 탔어요. 난 엄마 뒤에 있었고요. 엄마는 그때 내 손을잡지 않고 계셨는데, 나는 첫 번째로 보이는 좌석에 풀썩 몸을 던졌죠. 몇 분 후에 보니 엄마가 나를 찾고 계셨는데, 나를 버스 뒷좌석으로 데려가서는 내가 왜 거기 앉으면 안 되는지 설명해 주셨어요. 우리 집은 매우 가난했고, 우리 주변의 흑인들 대부분과 내가 아는 사람들 역시 가난했어요. 내가 화이트 아메리카에 대해 가지고 있는 이미지는 그날 시내에 갔던 일, 가게 계산대 뒤에 있는 사람을 본 것, 엄마가일하시던 곳의 사장을 만났던 경험을 통해서 만들어졌죠.우리와 그들 사이에는 거리가 있다는 게 분명해졌어요.

이 골은 온갖 방식으로 우리에게 자신을 알린다. 일곱 살 어린 소녀가 학교에서 놀림을 받은 후 집에서 서성이다가 부모에게 묻는다. 「우리가 깜둥이예요? 그게 무슨 뜻이에요?」 때로 그건 미묘하다. 누가 어디에 사는지 어떤 일을 하는지, 또 누구는 그 일을 하지 않는지 알아내는 단순한 관찰에 불과해. 때로는 한꺼번에 전모를 드러내기도 하지.

네가 어떻게 그 거리를 몸소 의식하게 되었는지 한 번도 물은 적이 없구나. 마이클 브라운 사건 때였니? 나는 알고 싶지 않았던 건지도 모르겠다. 하지만 그게 이미 너한테 일어났다는 걸 알고 있어. 너는 네가 특혜받은 존재이고, 그럼에도 특혜받은 나머지 아이들과는 다르다고 추론했을 거야. 그 이유가 이 나라의 어느 누구보다 더 깨지기 쉬운 몸을 가지고 있기 때문이란 것도 알았겠지. 그럼에도 네가 알았으면 하는 건, 궁극적으로는 그것이 네 책임으로 돌아갈 테지만 네 잘못은 아니라는 거다. 그것이 네 책임인 이유는 네가 〈몽상가들〉에 둘러싸여 있기 때문이야. 네가 바지를 어떻게 입는지, 머리 모양을 어떻게 하든지 그런 것과는 아무 상관이 없어. 그 골은 정책만큼 의도적이고, 그 뒤에 따르는 망각만큼 의도적이야. 그 골은 약탈자와 피약탈자를, 노예를 만든 자와 노예가 된 자를, 지주와 소작인을, 식인종과 그 먹잇감을 효율적으로 구분하도록 해주지.

존스 박사는 말을 아꼈다. 그녀는 사람들이 한때 〈레이디〉라고 부르던 그런 분이었는데, 그런 의미에서 나는 공영 주택 단지에서 혼잣몸으로 아이들을 키우셨으면서도 항상 좋은 것들을 가진 것처럼 말씀하셨던 내 할머니가 떠올랐어. 그리고 존스 박사가 과거 이야기를 하면서 소작인이었던 아버지의 삶과 그녀를 둘러싼 모든 것에 새겨져 있던 결핍을 탈출하게 된 동기를 설명할 때, 〈난 이렇게 살지 않을 거야〉 하고 다짐하던 옛날의 자신을 회상할 때, 나는 그분의 눈에서 무쇠를 보았고, 내 할머니의 눈에서 번쩍이던 무쇠가 떠오르더구나. 지금 넌 네 증조할머니에 대한 기억이 거의 없을 거야. 그분이 돌아가셨을 때 넌 여섯 살이었으니까. 물론 난 할머니를 기억하지만, 그때쯤 나는 할머니와 할머니의 위업 — 예를 들어 할머니가 낮에는 백인들의 마루를 문질러 닦다가도 밤이면 학교에 다녔던 — 은 전설이었다는 걸 알고 있었지. 하지만 난 그때에도 할머니를 공영 주택 단지에서 자가 주택으로 나아가게 했던 그 힘과 강직함을 느낄 수 있었어.

내가 존스 박사 앞에서 느낀 것은 바로 그 힘이었다. 그분은 2학년 때 다른 한 소녀와 함께 같이 의사가 되자고 약속했고, 결국 그 약속을 지켰지. 그러나 그전에 먼저 그분은 그 동네의 고등학교에 융합되었다. 처음에는 자신을 모욕하는 백인 아이들과 싸웠어. 하지만 결국에 그들은 그분을 학급 반장으로 선출했지. 그분은 트랙 경주 선수가 되었어. 그것은 〈훌륭한 가입 자격〉이었다고 그분은 말씀하셨지만, 그것은 그들의 세상 속으로 그녀를 더 깊이 데려다주었다. 풋볼 게임에서 학생들은 인기 있는 흑인 러닝백 선수를 응원하다가도 상대 팀의 흑인 선수가 공을 잡으면 이렇게 외치곤 했지. 〈저 깜둥이를 죽여라! 저 깜둥이를 죽여라!〉 그들은 그분 바로 옆에서, 마치 그분이 거기 없다는 듯 그렇게 외치곤 했어. 그분은 어렸을 때 성경을 암송했는데, 암송자로 모집되었던 사연을 들려주시더구나. 그분의 어머니는 어린이 성가대 선발 시험에 그녀를 데리고 갔단다. 오디션 후에 성가대 감독이 말했대. 〈얘야, 넌 말을 해야 할 것 같구나.〉 이제 그분은 유쾌하게, 요란하지는 않게, 여전히 자신의 몸을 통제하면서 웃고 있었다. 난 그분이 활기를 찾고 있다고 느꼈어.

그분이 교회 이야기를 하는 동안, 나는 네 할아버지 ─ 할아버지는 너도 알겠지 ─ 가 떠올랐는데, 할아버지가 성경 구절을 암송하시던 중에 처음으로 지적 모험을 발견하셨다는 이야기가 떠오르더구나. 그리고 똑같은 경험을 했다던 네 어머니가 생각났다. 그리고 그렇게 자주, 우리 민족의 유일한 지지대가 되어 왔던 제도에서 내가 얼마나 멀리 떨어져 있는지를 생각해 보았지. 그 사이에서 내가 무언가를 놓쳐 버린 건 아닌지 종종 궁금해진다. 우주적 희망에 대한 관념 같은 것, 세상에 대한 내 보잘것없는 물리적인 인식을 넘어선 지혜 같은 것, 몸을 넘어선 무언가, 내가 너에게 전해줄 수도 있었을 무언가를 놓쳐 버린 건 아닌지 말이다. 그 특별한 순간에 이것이 궁금했던 이유는, 내가 이해하는 모든 것을 넘어선 무언가가 메이블 존스 박사에게 예외적인 삶을 살게 해주었기 때문이야.

그분은 전액 장학금을 받고 대학에 진학했다. 루이지애나 주립 대학교 의과대학에 들어간 거야. 그리고 해군에 들어갔지. 그분은 방사선학을 선택했어. 당시 그분이 알기로 다른 흑인 방사선 전문의는 없었다고 했다. 나는 그 과정이 무척 힘들었을 거라고 짐작했지만, 나의 그런 추측을 그분은 마뜩찮게 여기셨어. 그분은 어떤 불편함도 불편함으로 인정할 수 없었고, 스스로를 남다르다고 말씀하지도 않으셨어. 왜냐하면 그건 너무나 많은 걸 양보하는 셈이 되기 때문이고, 메이블 존스에 대한 평가를 근거로 중요한 한 가지만을 기대해야 할 때 부족이 거는 온갖 기대를 우선시하는 것이기 때문이야. 그런 관점에서 보면 그분의 성공에는 전혀 놀라운 점이 없었는데, 왜냐하면 메이블 존스는 항상 바닥까지, 그 위도 주변도 아닌 철저하게 바닥까지 페달을

밟고 있었고, 어떤 것을 결심했으면 죽어도 해내고 마는 성격이었기 때문이야. 삶을 대하는 그녀의 태도는 엘리트 육상 선수의 그것, 비록 경쟁자는 비열하고 심판들은 뇌물을 받았다는 걸 알고 있지만 챔피언의 자리까지 이제 한 게임만 남았다는 걸 알고 있는 선수의 태도였어.

그분은 자기 아들을 〈로키〉라고 불렀다. 〈록Rock〉으로 통했던 자기 할아버지를 기린 이름이었지. 나는 그의 어린 시절에 관해 물었어. 사실 프린스 존스에 관해 그다지 잘 알지 못했기 때문이야. 그는 파티에서 만나면 반가운 그런 사람, 친구에게 〈좋은 형제〉라고 설명하곤 하지만 실제 그가 무엇을 하며 지내는지에 대해서는 설명할 수 없는 그런 사람 중 한 명이었어. 그래서 존스 박사는 내가 더 잘 이해하도록 그의 됨됨이를 대강 묘사해 주었지. 한번은 그가 전기 소켓에 망치로 못질을 해서 합선이 되는 바람에 집 안 전체에 불이 나갔다고 했어. 한번은 타이까지 매고 정장 차림을 하고는 한쪽 무릎을 꿇고 그녀에게 「스리 타임스 어레이디Three Times a Lady」를 불러 주었다고 했지. 그는 평생 사립학교 — 〈몽상가들〉이 가득한 학교 — 에 다녔지만 루이지애나에서, 나중에는 텍사스에서 가는 학교마다 친구들을 사귀었다고 했다. 나는 그 친구들의 부모들이 존스 박사를 어떻게 대했는지 물어보았어. 「그때쯤 나는 지역 병원 방사선과 과장이었어요. 그래서 그들은 나를 존경했죠.」 그녀는 마치 수학 함수를 설명하는 것처럼, 아무런 애정이 없는 차가운 눈빛으로 대답했어.

어머니를 닮아 프린스는 똑똑했다. 고등학교 때는 대학교 학점을 딸 수 있는 텍사스 수학 과학 특성화 학교에 다녔지. 그 학교는 앙골라, 오스트레일리아, 아프가니스탄 등 다양한 인구로 구성된 주에 있었음에도 불구하고 프린스가 유일한 흑인 학생이었어. 나는 존스 박사에게 아들이 하워드에 가기를 원했냐고 물어보았지. 그분은 웃으면서 대답했어. 「아니에요.」 그러더니 이렇게 덧붙였지. 「이 얘기를 할 수 있게 되어 정말 좋군요.」 내가 주제넘은 참견을 하고 있을지도 모른다는 노파심이 들던 차에 그 말을 듣자 마음이 놓이더구나.

아들이 어느 대학에 가기를 원했는지 물었다. 그분은 이렇게 대답하셨어. 「하버드요. 하버드가 아니면 프린스턴이었죠. 프린스턴이 아니면 예일. 예일이 아니면 컬럼비아. 컬럼비아가 아니면 스탠퍼드였어요. 그 애는 재능 있는 학생이었으니까요.」 하지만 하워드 입학생들 가운데 적어도 3분의 1이 그렇듯, 프린스는 남들에게 자신을 보여 주어야 하는 데 지쳐 있었어. 이런 하워드 학생들은 나와는 달랐지. 그들은 재키 로빈슨 같은 엘리트의 자녀들로, 그 부모들은 게토나 소작인의 밭을 벗어나 교외로 진출했지만, 벗어날 수 없는 낙인이 자신에게 찍혀 있다는 걸 다시금 확인했던 사람들이었다. 그런 학생들 중 많은 이들이 성공했지만, 성공하고 나서도 특별하게 지목되어 다양성의 우화에 대한 예가 되고, 그런 우화로 변모되곤 했어. 그들은 상징이고 표지였지 결코 그냥 어린이나 젊은이가 아니었어. 그래서 그들은 정상적으로 살기 위해 하워드에 가는 거야. 아니 더 나아가 흑인의 정상적인 삶의 폭이 실제로 얼마나 넓은지 알아보려고 그곳으로 가는 거야.

프린스는 하버드에도, 프린스턴에도, 예일에도, 컬럼비아에도, 스탠퍼드에도 지원하지 않았다. 그는 오직 메카만을 원했어. 나는 존스 박사에게 프린스가 하워드를 선택한데 대해 아쉬움이 없는지 물어보았어. 그분이 숨을 들이켰다. 마치 내가 멍든 자리를 너무 세게 찔렀다는 것처럼. 「아뇨. 그 애가 죽어서 아쉬울 뿐이죠」

그분은 매우 차분하게, 그리고 그보다 더한 고통으로 말했어. 그분이 말할 때마다 미국의 커다란 상처로 인해 어쩔 수 없이 나오는 온갖 기묘한 몸가짐과 태도가 엿보였다. 혹시 1960년대의 연좌 농성을 찍은 사진들을 자세히 살펴본 적이 있는지 모르겠구나. 찬찬히, 진지하게 말이다. 그 얼굴들을 본 적이 있니? 그건 화난 표정도 아니고, 슬픈 표정도 아니고 기쁜 표정도 아니다. 그 얼굴들은 거의 아무런 감정도 내보이지 않아. 그 얼굴들은 박해자들 너머, 우리 너머를 보고 있고, 내가 아는 모든 것을 넘어선 그 너머의 어떤 것에 초점을 맞추고 있어. 아마 그들은 자신의 신에게, 내가 알지도 못하고 내가 믿지도 않는 신에게 시선을 고정하고 있는 건지도 모르지. 하지만 신이든 아니든 간에 그 갑옷이 온통 그들을 감싸고 있는데, 그 갑옷은 진짜야. 아니 어쩌면 그건 전혀 갑옷이 아닐지도 모르지. 어쩌면 그것은 삶의 연장(延長), 지금은 그 몸 위에 산더미처럼 쌓이는 공격을 고스란히 받고 나서 나중에 그 빚을 되갚게 해주는 일종의 대부(貸付)일지 모른다. 그게 뭐든 간에 그 사진들 속에서 보았던 바로 그 표정, 기품 있고 공허한 그 표정을 나는 메이블 존스의 얼굴에서 보았다. 그것은 그분의 강렬한 갈색 눈에, 눈물이 솟아나도 흘리지는 않던 그 눈 속에 있었어. 그분은 굉장히 많은 것을 자제하고 있었는데, 나는 그분의 로키가 약탈당한 이후의 나날들, 그분의 혈통을 강도당한 이후의 나날들이 바로 그런 것을 요구해 온 게 틀림없다고 생각했다.

그리고 그분은 자기 나라에 도움을 기댈 수도 없었다. 그분의 아들에 관한 한, 존스 박사의 나라는 그 나라가 가장 잘하는 일을 했어 ― 그를 잊어버렸지. 망각은 습관, 〈꿈〉

에 반드시 있어야 하는 또 하나의 요소야. 그들은 노예제 속에서 그들을 부유하게 해준 도둑질의 규모를 잊었어. 한 세기 동안 그들에게 투표권을 빼돌리게 해준 공포를 잊었고, 그들에게 교외를 선사했던 분리 정책을 잊었어. 그들은 잊었다, 왜냐하면 기억은 그들을 아름다운 〈꿈〉 밖으로 굴러떨어지게 할 테니까, 여기, 이 아래의 세계에서 우리와 함께 살도록 만들 테니까 말이다. 〈몽상가들〉, 적어도 오늘날의 〈몽상가들〉은 자유롭게 사느니 차라리 백인으로 살거라고 나는 확신한다. 〈꿈〉 속에서 그들은 벅 로저스, 아라곤 왕자, 스카이워커의 종족 전체다. 그들을 〈꿈〉에서 깨우는 것은 그들이 다른 모든 인간 제국과 마찬가지로 파괴된 몸들 위에 건설된 인간의 제국임을 드러내는 일이야. 그들을 깨우는 것은 그들의 고결함을 더럽히는 일이고, 그들을 나약하고 실수투성이에 부서지기 쉬운 인간으로 만드는 일이야.

전화가 울렸을 때 존스 박사는 잠들어 있었다. 그때가 새벽 5시, 전화기 너머에서 한 형사가 그녀에게 워싱턴으로 와야겠다고 말했다. 로키가 병원에 있었다. 로키가 총에 맞았다. 그분은 딸을 데리고 차를 몰았다. 아들이 아직 살아 있다고 굳게 믿었다. 그 일을 설명하는 동안 그분은 몇 번이나 말을 멈추더구나. 그분은 곧바로 중환자실로 향했다.

로키는 거기에 없었다. 권위 있는 여러 사람들 — 아마 의사들, 변호사들, 형사들이었겠지 — 이 존스 박사를 어느 방으로 데려가더니 그가 죽었다고 말했다. 그분은 다시 말을 멈추었지. 울지 않았다. 당장은 평정을 잃지 않는 게 너무도 중요했다.

「그건 그때까지 내가 느껴 본 어떤 감정과도 달랐어요.」 그분이 입을 열었다. 「그건 지극히 물리적인 고통이었어요. 너무도 생생해서 그 아이 생각을 할 때마다 내가 할 수 있는 건 기도하면서 자비를 구하는 것뿐이었죠. 내가 이성을 잃고 미쳐 간다는 생각이 들었어요. 구역질이 올라왔어요. 내가 죽어 가는 느낌이었어요.」

나는 프린스를 쏜 경찰관이 기소될 거라고 기대했는지 물었어. 그분이 대답했어. 「그랬죠.」 그분의 목소리에는 복잡한 감정이 섞여 있었다. 그건 그 옛날 자신을 의과대학에 가게 해준 그 공정함을 똑같이 기대하는 미국인의 말이었어. 설사 그 공정함이 미루어지다 마지못해 겨우 실현될지라도 기대를 잃지 않는 미국인의 말이었지. 하지만 그런 동시에 바로 그 감정을 싹둑 잘라 버리는 모든 고통을 느끼는 흑인 여자의 말이었다.

이제 나는 최근에 결혼했다는 그녀의 딸이 궁금해졌어. 그 딸과 새신랑의 사진 하나가 놓여 있었다. 존스 박사는 낙관주의자가 아니었어. 그분은 미국에서 아들을 낳을 자신의 딸을 몹시 걱정하고 있었지. 왜냐하면 그녀 자신이 아이를 지켜 주지 못했기 때문이야. 자신의 아들을 앗아 갔던 의례적인 폭력으로부터 아들의 몸을 지켜 주기 못했기 때문이지. 그분은 미국을 로마에 비유했다. 그분은 이 나라의 영광스러운 시절은 오래전에 지나갔다고, 심지어 그 영광의 시절도 더럽혀졌다고 생각한다고 말했어. 영광의 시절은 다른 사람들의 몸 위에 건설된 것이었다. 그분이 말했어. 「그런데 우린 그 메시지를 보지 못해요. 우리가 우리의 죽음을 껴안고 있다는 사실을 이해하지 못하고 있죠.」

나는 존스 박사에게 모친이 아직 살아 계신지 물어보았어. 그분의 모친은 2002년에 여든아홉의 나이로 세상을 떴다고 하더구나. 그분의 모친이 프린스의 죽음을 어떻게 받아들였는지 묻자, 존스 박사는 거의 속삭임처럼 작은 목소리로 대답했다. 「저도 모르겠어요. 엄마가 그 일을 받아들이셨는지.」

존스 박사는 『노예 12년』[1]을 언급했어. 「거기 그가 나오죠.」 솔로몬 노섭을 가리키는 거였지. 「그에겐 수단이 있었

---

1 1841년 워싱턴 D. C.에서 납치되어 노예로 팔린 미국인 솔로몬 노섭의 회고록. 그는 12년간 루이지애나 주의 플랜테이션 농장에서 일한 뒤에야 풀려날 수 있었다.

어요. 가족이 있었어요. 그리고 인간처럼 살고 있었어요. 그러다 인종주의자의 행동 하나가 그의 삶을 후퇴시켰죠. 내 경우도 똑같아요. 나는 내 경력을 쌓고, 재산을 모으고, 책임을 다하며 살았어요. 그런데 인종주의자의 행동 하나가 모든 것을 앗아 갔어요.」

그다음 그분은 엄청난 근면을 통해, 끊임없는 노동을 통해, 몸서리쳐지는 가난을 떠나온 지난한 여행길에서 획득해 왔던 모든 것을 이야기했어. 그분은 사치스럽게 아이들을 키운 이야기를 — 해마다 떠난 스키 여행과 유럽으로의 짧은 여행 — 들려주었어. 딸이 고등학교에서 셰익스피어를 공부할 때는 딸을 영국으로 데려갔어. 그리고 딸이 열여섯 살 때 운전면허를 땄을 때는 마쓰다 626이 딸을 기다리고 있었지. 해주고 싶어 하는 욕망과 어린 시절 그녀의 쓰라린 가난 사이에서 어떤 연관성이 느껴지더구나. 그 모든 게 그분의 아이들을 위한 일이었던 것만큼이나 그분 자신을 위한 일이었다는 걸 나는 느꼈어. 그분이 말하는 프린스는 결코 물질적인 것에 관심이 없었어. 그는 책 읽기를 좋아했지. 여행을 좋아했어. 그러나 그가 스물세 살이 되었을 때, 그분은 아들에게 지프 한 대를 사주었지. 그 차에 커다란 자줏빛 나비 리본까지 묶고서. 그가 그 지프를 보고는 그저 〈고마워요, 엄마〉라고 하던 모습이 아직도 눈에 선하다고 그분이 말했어. 그리고 뜸을 들이지 않고서 이렇게 덧붙였어.「그 아이가 죽은 게 바로 그 지프 안에서였어요.」

나는 그 집을 나온 뒤 차 안에 앉아 몇 분 동안 뭉기적거렸다. 프린스의 어머니가 그에게 투자했던 모든 것, 그리고 그분이 잃어버린 모든 것을 생각했다. 프린스를 메카로 보냈던 그 외로움을 생각했고, 메카가, 그리고 우리가 그를 구하지 못했다는 사실과, 궁극적으로는 우리 자신도 구할 수 없을 거라는 사실을 떠올렸다. 생각은 다시 그 연좌 농성과 그 초연한 표정의 시위대, 한때 내가 인생에서 최악의 것에 자신의 몸을 내던진다며 경멸했던 그 사람들에게로 향했다. 어쩌면 그들은 세상에 관한 무시무시한 무언가를 알고 있었는지 모른다. 어쩌면 그들이 검은 몸의 안전과 존엄성을 그렇게 기꺼이 내던졌던 이유는 애초에 안전도 존엄성도 존재하지 않았기 때문인지 모른다. 1960년대의 그모든 낡은 사진들, 몽둥이와 개 앞에 엎드린 흑인들을 보여주는 그 모든 영상은 그냥 수치스러운 것만은 아니었다. 아니 전혀 수치스러운 게 아니었다. 그건 그냥 진실이었다.

아들아, 우리는 미국의 다수결주의 도당에 붙잡혀 있고, 그들에게 둘러싸여 있어. 그리고 그런 일이 바로 여기서, 우리의 유일한 조국에서 벌어져 왔단다. 무시무시한 진실은 우리의 힘만으로는 우리가 거기서 벗어날 수 없다는 거다. 어쩌면 그게 그 운동의 희망이었을 거고, 지금도 그럴 거야. 바로 〈몽상가들〉을 깨운다는 것 말이다. 백인이고 싶은 욕구, 백인인 것처럼 말하고 싶은 욕구, 백인인 것처럼 생각하고 싶은, 다시 말해 자신이 인간의 설계 결함을 뛰어넘은 존재라고 생각하고 싶은 욕구가 이 세계에 어떤 짓을 저질러 왔는지 눈을 뜨게 하는 것 말이다.

그러나 너는 그들 주변에, 그리고 〈몽상가들〉이 의식화될 희박한 가능성 주변에 네 삶을 놓을 수는 없어. 우리가 누릴 수 있는 순간은 너무도 짧다. 우리의 몸은 너무도 소중하다. 그리고 너는 지금 여기 존재하고 있고, 너는 살아야 해 ― 그리고 다른 누군가의 나라가 아닌 너 자신의 나라에서 살아야 할 이유는 너무도 많다. 나를 메카로 이끌고 프린스 존스를 빚어냈던 검은 에너지의 온기, 우리 특별한 세상의 온기가 아무리 덧없고 깨어질 수 있다고 해도, 그것은 아름답단다.

우리가 모교 방문 동창회에 갔던 일이 생각난다. 우리 위를 맴돌던 따뜻한 돌풍이 생각나는구나. 우리는 풋볼 게임을 구경하고 있었지. 우리는 옛 친구들과 그들의 자녀들과 함께 관람석에 앉아 있었는데, 선수가 공을 놓치든 연속 공격권을 가지고 첫 공격을 개시하든 아무래도 좋았다. 골포스트 쪽을 바라보고, 한 무리의 졸업생 응원단을 지켜보던 일이 떠오른다. 하워드 대학교와 사랑에 빠져 있던 그들은 옛 흥취에 젖어서 낡은 유니폼을 잠시 꺼내 들어 입어 보았지. 그들이 춤을 추던 모습도 떠오른다. 그들은 몸을 흔들고 멈추었다가 다시 몸을 흔들었고, 군중들이 〈달려라! 달려라! 달려라! 달려!〉 하고 소리칠 때 내 앞 두 번째 줄에 앉아 있던 꼭 끼는 청바지 차림의 한 흑인 여자는 그 순간은 누구의 엄마가 아니라 스무 살 시절이 불과 일주일 전이었다는 듯 자리에서 일어나 몸을 흔들어 댔어.

너를 떼어 두고 뒤풀이 주차장 야외 파티로 걸어가던 일이 떠오른다. 너를 데려갈 수는 없었지만 내가 본 것들을 말해 줄 수는 있어. 사업가들, 변호사들, 남학생 친목 단체 회원들, 건장한 사내들, 의사들, 이발사들, 여학생 친목 단체 회원들, 술고래들, 공붓벌레들, 멍청이들, 나를 둘러쌌던 그 디아스포라 전체를 말이야. 디제이가 마이크에 대고 고함을 질렀다. 젊은 친구들은 그를 향해 몰려들었지. 한 청년이 코냑 한 병을 꺼내 들고 마개를 비틀어 땄다. 한 젊은 여자는 그와 함께 미소를 지었고 고개를 젖혀 코냑을 마시고는 웃었어. 나는 그들 모두의 몸 속으로 사라지는 듯한 느낌이었다. 날 때부터 있었던 천벌 같은 모반(母斑)은 희미해졌고, 내 두 팔의 무게가 느껴지면서 내 호흡이 들썩이는 소리가 들렸다. 그때 나는 떠들고 있지 않았다. 그건 아

무런 의미가 없었으니까.

〈꿈〉 너머에 한순간이, 기쁨에 겨운 한순간이 있었다 ─ 어떤 투표권 법안보다 훨씬 근사한 힘에 고취되는 순간이. 이 힘, 이 검은 힘은 검고 근원적인 행성에서 바라보는 미국이라는 은하의 풍경 속에서 시작된다. 검은 힘은 지하 감옥에서 바라보는 몬티셀로의 풍경이다[2] ─ 다시 말해, 투쟁에서 바라본 풍경이다. 검은 힘은 저마다 가장 진실한 색깔을 띤 모든 은하를 비춰 주는 일종의 이해력을 낳는다. 심지어 〈몽상가들〉, 그 거대한 몽상 속에서 길을 잃은 이들조차 그것을 느끼는데, 그들이 슬플 때 손을 뻗게 되는 것이 빌리[3]이고, 그들이 배짱 좋게 외치는 것이 몹 딥[4]이고, 그들이 사랑으로 흥얼거리는 것이 아이즐리[5]이고, 그들이 흥청대며 소리 지르는 것이 드레[6]이고, 그들이 죽기 전에 듣는 마지막 소리가 아레사[7]이기 때문이다.

우리는 여기 이 아래에서 무언가를 만들어 왔다. 우리는

2 미국의 3대 대통령 토머스 제퍼슨이 버지니아 주 샬러츠빌에 건설한 담배 플랜테이션 농장. 제퍼슨은 평생에 걸쳐 노예제를 반대했지만, 그 자신이 200명이 넘는 노예를 소유했다.
3 Billie Holliday. 전설적인 미국의 재즈 가수.
4 Mobb Deep. 뉴욕 출신의 힙합 듀오.
5 Isley Brothers. 1957년에 아이즐리 형제가 결성한 R&B, 솔 펑크 그룹.
6 Dr. Dre. 래퍼, 프로듀서. 웨스트코스트 힙합 스타일을 확립했다고 평가받는다.
7 Aretha Franklin. 솔의 여왕이라 불리는 가스펠 가수.

〈몽상가들〉이 주장하는 한 방울의 규칙을 받아들여 가볍게 그것을 뒤집어 버렸다. 그들은 우리를 하나의 인종으로 만들었지. 우리는 우리 자신을 하나의 민족으로 만들었다. 여기 메카에서, 선택의 고통 아래서 우리는 한 가정을 만들어 왔다. 주삿바늘과 약병, 사방치기 네모가 어김없이 등장하는 여름날 동네 파티에서 흑인들이 하는 것처럼. 집세 마련 파티에서 흑인들이 춤을 추는 것처럼. 마치 서로를 재난의 생존자처럼 여기는 가족 재회 모임에서 흑인들이 하는 것처럼. 코냑과 독일 맥주로 건배를 하고 퉁명스러운 인사를 나누고 랩으로 논쟁하는 흑인들처럼. 죽음을 뚫고 이쪽 해안의 삶으로 항해해 온 우리 모두처럼.

그것이 프린스 존스를 끌어당긴 사랑의 힘이었지. 그 힘은 신성(神性)이 아니라 모든 것 ─ 심지어 〈꿈〉도, 특히나 그 〈꿈〉은 ─ 이 실제로 얼마나 부서지기 쉬운지 꿰뚫는 심오한 지식이야. 차 안에 앉아 있으면서 나는 민족의 운명에 대한 존스 박사의 예언을 생각해 보았다. 그 예언은 맬컴에게서, 그리고 〈몽상가들〉은 뿌린 대로 거두리라고 외치는 맬컴 사후의 지지자들로부터 평생 들어 온 것이었어. 복수심에 불타는 선조들의 회오리바람을 몰고 죽지 않은 중간 항로 군대와 함께 돌아가겠다고 약속했던 마커스 가비의 말에도 똑같은 예언이 있었어. 그러나 아니다. 나는 그게 너무나 손쉬운 예언이라는 걸 알았기에, 〈몽상가들〉이 뿌린 대로 거둔다면 우리도 그들과 나란히 그들이 뿌린 것을 거두게 된다는 걸 알았기에 메카를 떠났던 거야. 약탈은 습관과 중독으로까지 무르익었다. 게토의 기계화된 죽음과 민영 교도소의 대량 강간을 만들어 내고 그다음엔 스스로 망각을 꾀하는 사람들은 불가피하게 더 많이 약탈하기 마련이야. 그건 예언을 믿는 게 아니라 값싼 휘발유가 가진 유혹의 힘을 믿는 것이다.

한때 〈꿈〉의 변수들이 테크놀로지에 의해, 마력(馬力)과 바람의 제약에 의해 새장 안에 가두어졌던 시절도 있었지. 그러나 〈몽상가들〉은 스스로를 향상시켜 왔다. 전력을 얻기 위해 바다에 댐을 만들고, 석탄을 캐내고, 기름을 음식으로 변환시키는 작업을 통해 약탈을 전례 없는 규모로까지 확장할 수 있었다. 그리고 이런 혁명은 〈몽상가들〉이 인간의 몸뚱이뿐 아니라 지구 자체의 몸뚱이까지 마음껏 약탈하도록 도왔어. 지구는 우리의 창조물이 아니야. 지구는 우리에 대해 아무런 존경심도 없어. 지구는 우리를 필요로 하지 않아. 그리고 지구의 복수는 도시 안의 불이 아니라 하늘의 불이다.

마커스 가비보다 더 사나운 무언가가 회오리바람을 타고 오고 있다. 우리의 아프리카 선조들보다 더 무시무시한 무언가가 바다와 함께 일어서고 있다. 이 두 현상은 서로에게 알려져 있지. 이 시대의 서막을 연 것은 사슬에 묶인 우리 손을 거쳐 간 면화였다. 조각조각 구획을 나눈 숲속으로 그들을 사방으로 뻗어가게 했던 것은 우리로부터의 도피였다.[8] 그리고 이 새롭게 세분화된 땅을 통과해 사방으로 뻗어 나가는 운송 수단이 자동차, 곧 지구의 목을 두른 올가미요 궁극적으로는 〈몽상가들〉 재난이다.

나는 메이블 존스의 집을 나와 차를 몰면서 이 모든 것을 생각했다. 언제나처럼 너를 생각하면서 차를 몰았다. 사모리, 아빠는 우리가 그들을 멈출 수 있다고는 믿지 않는다. 왜냐하면 궁극적으로 그들은 스스로 멈춰야 하기 때문이야. 그러나 그래도 나는 너에게 투쟁하라고 충고한다. 네 선조들을 기억하기 위해 싸워라. 지혜를 위해 싸워라. 메카의 온기를 위해 싸워라. 네 할머니와 할아버지를 위해, 네 이름을 위해 싸워라. 그러나 〈몽상가들〉을 위해 싸우지는 말아라. 그들을 위해 소망해라. 만약 네 마음이 끌린다면, 그들을 위해 기도해라. 그러나 네 투쟁의 목표를 그들의 개종에 못 박지는 말아라.

〈몽상가들〉은 스스로 투쟁하는 법을 배워야 할 거야. 그

---

8 유색 인종을 피해 백인 중산층이 도심에서 교외로 빠져나가는 화이트 플라이트White Flight 현상을 말한다.

들의 〈꿈〉을 위한 터전, 그들이 스스로 하얗게 칠해 왔던 무대는 우리 모두가 죽음을 맞게 될 자리라는 걸 이해해야 할 거야. 〈꿈〉은 이 행성을 위험에 빠뜨리는 바로 그 습관이고, 감옥과 게토에서 치워지는 우리의 시체를 구경하는 바로 그 습관이다. 존스 박사의 집에서 차를 몰고 돌아오는 길에 나는 이런 게토들을 보았다. 그것은 지난날 내가 시카고에서 보았던 것과 똑같은 게토들이었고, 내 어머니가 자랐던 곳과 똑같은 게토들이었고, 내 아버지가 자랐던 곳과 똑같은 게토들이었다. 자동차 앞 유리창 너머로 이런 게토의 표지 — 너무나 많은 미용실, 교회, 주류 판매점, 허물어져 가는 주택들 — 를 보면서 나는 오랜 두려움을 느꼈다. 자동차 앞 유리창 너머로 역수 같은 장대비가 쏟아지고 있었다.

모든 인간의 눈물과 피의 색깔은 같다

오바마 대통령 재임 기간 중 내게 가장 인상적인 사건은 2009년 7월, 흑인 교수 체포 파문이었다. 당시 나는 미국 대통령과 동일시하며 분노하고 절망했다. 〈제3세계의 여성〉인 내가 미국 대통령과 같은 심정일 수 있었던 유일한 이유는 그가 흑인이었기 때문일 것이다. 미국 흑인사 연구의 권위자인 하버드 대학의 헨리 루이스 게이츠 주니어 교수는 오바마의 멘토로도 유명한데, 그는 자기 집 앞문이 잠겨 뒷문으로 들어가려다가 이웃의 무단 침입 신고로 현장에서 체포되었다. 자신의 집이라는 사실과 그의 신분이 밝혀졌지만, 출동한 경찰은 〈소란 혐의〉로 곧바로 그에게 수갑을 채웠다.

오바마 대통령은 크게 분노했던 것 같다. 그러나 영부인인 미셸을 비롯한 참모들의 만류로 〈경찰이 어리석게 행동했다〉는 정도의 성명서를 발표했다. 기자회견 도중 질문을 받은 오바마 대통령은 〈만약 자신이 백악관에서 그렇게 행동했다면 총에 맞는 것 아니냐〉며 분을 참지 못했다. 게이츠 교수를 체포한 경찰이 소속된 지역의 경찰서장은 〈크롤리 경찰관은 훈련받은 대로 행동했다〉고 했고, 심지어 해당 경찰관은 〈대통령이 시골 동네 경찰 업무까지 개입하다니, 실망스럽다〉고 당당히 말했다. 졸지에 오바마는 〈큰〉 국정은 돌보지 않고, 자신의 지인이 체포된 것에 흥분하는 사감을 감출 줄 모르는 지도자가 되었다. 백인 경찰은 이 문제를 인종차별이 아니라 최고 통치자의 〈동네 경찰 간섭〉이라고 조롱했다. 한국 사회에서 이런 일을 상상할 수 있을까. 경찰의 힘이 약해서가 아니라 개인의 정체성(인종) 우위를 이용해 〈일개 시골 순경〉이 대통령에게 훈계하는 상황이 가능한가. 이 사건은 흑인 미국 대통령 시대의 한 장면을 상징한다.

　나를 더욱 열 받게 한 사건은 계속 이어졌다. 자기 집에 들어가려다가 체포된 교수와 대통령, 담당 경찰관 3인의 〈화해 맥주 회동〉이 열렸는데, 나는 지금도 그 사진을 잊을 수 없다. 교수의 비굴하고 수치스런 얼굴, 애써 분노를 참으며 어색한 표정을 숨기지 못하는 대통령, 당당하고 호탕하게 웃으며 맥주를 들이켜는 경찰. 그 사진에서 다리를 꼬고 앉은 사람은 백인 경찰뿐이었다.

미국 대학 학제에는 〈흑인학black studies/ethnic studi-es〉이라는 과목이 있으며, 이를 구조적·학문적 주제로 다룬다. 〈흑인 문제〉는 자본주의와 근대성의 시작과 함께 도래한 역사다. 미국은 인종차별도 심각하지만 그만큼 이 문제에 대한 사회적 고민도 깊고 많은 연구가 이루어지고 있다. 토니 모리슨 같은 여성 흑인 노벨상 수상자를 배출하기도 했다.

〈세상과 나 사이Between the World and Me〉라는 상상력을 자극하는 독특한 제목의 이 책은, 백인은 〈개인〉으로 흑인은 〈집단〉으로 호명하는 인종차별 사회에서 흑인 남성 화자가 〈나〉의 입장에 서서 자신의 삶과 미국의 역사를 서술하고 있다. 흑인 문제를 일반화하지 않으면서 동시에 인종차별을 구조적 차원에서 다룬다. 분노 없이 쓸 수도, 읽을 수도 없는 글이지만, 〈폭력과 분노는 지성〉이라는 마틴 루서 킹의 명언을 생각하게 한다. 이 책은 언뜻 보기에 미국 사회의 흑인에 대한 폭력을 다룬 〈흑인 수난사〉처럼 보인다. 물론 그러한 내용을 담고 있기도 하다. 하지만 저자의 말처럼 이것은 미국의 어두움이 아니라 미국의 역사 그 자체다.

나는 이 책을 인간의 기준이 백인 남성인 사회에서 인간의 범주에 미달하는 반인간(半人間, half-person), 즉 흑인과 여성에 대한 신체 훼손의 역사로 읽었다. 1990년대까지 한국 여성과 주한 미군 사이에서 태어난 어린이(혼혈아)를 〈해프 퍼슨〉이라고 불렀다. 여기서 〈2분의 1〉의 인간은 어머니가 한국 여성이고 아버지가 흑인일 경우를 말한다. 아버지가 백인일 경우에는 미국 남성이 된다. 시몬 드 보봐르나 다나 해러웨이 등 여성주의자들은 백인 남성들이 여성을 자연과 인간의 중간, 흑인은 동물과 인간의 중간으로 간주해 왔다고 비판한다. 〈완전한 인간〉인 백인 남성은 자신의 사회적 지위와 무관하게(위에 적은 경찰관처럼) 흑인과 여성의 몸을 구타하거나 살해할 수 있는 통제권을 가질 수 있다. 타인에 대한 통제권을 갖는다는 것은 타인의 몸을 소유할 수 있다는 뜻이다. 나의 것이므로 내 의지대로 타인의 몸을 사용, 학대(ab/use)할 수 있다. 그것이 강간, 고문, 살인, 감금이든 모두 합법〈적〉이다. 이와 같은 압도적 폭력을 마음으로, 평화로, 정신력으로 극복하는 것은 불가능하다. 피해자에게 그것을 요구하는 것은 가해자의 편에 서서 박수를 치는 행위와 같다.

미국 사회에서 경찰로 상징되는 백인 권력이 주로 공적인 공간을 상징하는 거리에서 폭력을 행사한다면, 남성은 가정이나 연인 관계, 섹슈얼리티 등 사적인 영역에서 여성에게 폭력을 행사한다. 흑인에 대한 폭력은 백인 남성 대 흑인 남성의 정치적 갈등으로 사회적 사건이 되지만, 여성에 대한 폭력은 남성과 여성 사이의 이성애 제도 안에서 수렴된다. 사소하거나 개인적인 문제가 되는 것이다. 명예 살인, 황산 테러, 신부 불태우기, 지참금 살인, 아내 순장(殉葬, sati) 등, 여성에 대한 폭력이 사적인 문제로 간주되는 것은 이 문제의 가장 큰 이슈이다. 하지만 이는 역설적으로 흑인 몸의 가시성과도 관련이 있다.

지금도 일제 강점기 필리핀 출신의 〈군 위안부〉 당사자나 운동가들은 한국인 위안부들이 일본 남성들로부터 〈특혜〉를 받았다고 주장한다. 한국인과 일본인은 피부색이 비슷하다는 것이다. 근대 일본의 국가 형성에 제1의 희생양이 된 자이니치(在日, 재일동포)가 있지만, 이들은 비슷한 외모와 결혼, 국적 변경 등으로 현재는 정확한 인구를 파악하기 힘들 정도로 〈정체성〉이 희석되고 있다. 바로 몸의 〈유사함〉 때문이다. 현재 한국 사회에는 인종 문제를 대신하는 여러 가지가 차별이 있지만(지역, 학벌, 외모, 이주 노동자 등), 근대 서양 사회 특히 미국의 인종사(史) 문제는 한국인의 상상을 초월한다.

문제는 몸이다. 다시 말해, 피부색과 사람의 관계는 무엇인가라는 근본적인 질문이다. 물론 인간의 몸의 어떤 부분도 인간의 범주와는 관련이 없다. 차이를 만드는 것은 생물학이 아니라 권력이다. 피부색은 좀처럼 희석되지 않는다. 여성, 장애인, 동성애자, 트랜스젠더는 흑인과 다르다. 이들은 다른 방식으로 몸이 부여한 정체성의 지도를 찢을 수 〈있다〉. 백인/남성/이성애자/비장애인과 다른 이들의 몸은 계급, 퀴어링, 의료 규범 등으로 〈혼란〉시킬 수 있는 여지가 있다. 그러나 흑인의 몸은 있는 그대로의 표식이다. 근대 자본주의가 부여한 영원한 화인(火印)이다. 쉽게 뜯어내고 그냥 버릴 수 있는 라벨이 아닌 것이다. 그래서 프란츠 파농은 항상 기도했다. 〈제 피부색이 저로 하여금 늘 생각하는 인간이 되게 하소서.〉

몸은 사회적social/mindful body이다. 몸은 기억이다. 있는 그대로의 몸은 없다(영어에서 body는 〈시체〉라는 뜻이다). 몸은 언제나 해석이다. 같은 흑인이라도 힘과 스피드를 상징하는 운동선수 우사인 볼트나 〈흑진주〉 등으로 불리는 뛰어난 미모의 여성들은 흑인이라기보다 〈뛰어나지만 특이한 인간〉의 범주로 다시 구분된다. 이들의 예외성은 해석의 힘을 보여 준다. 한편, 책 내용에도 나오는 〈one drop rule〉, 즉 선조 중에 흑인의 피가 한 방울이라도 섞이면 〈인간〉이 될 수 없다는 해석이 존재한다. 영화화되기도 한 미국의 소설가 필립 로스의 『휴먼 스테인*The Human*

Stain』(2000)은 흑인의 피가 인생의 얼룩, 오점의 상징임을 보여 준다. 검은색, 그것은 없애야 하지만 없앨 수 없는 것이다.

우리는 이미 타인의 몸을 보는 순간, 나와 다른 점을 찾고 누가 더 사회적 타자인가를 몇 초 만에 판단(해야)한다. 어쩌면 인간이 인간이 되기 위해서, 인간성을 갖추기 위해서는 〈시각 장애인〉이 되어야만 할는지도 모른다. 우리는 그런 존재다. 그럼에도 타자성을 인식하지 않는 인간다움을 회복하는 유일한 길은 〈인간의 몸은 같다〉는 것을 잊지 않는 것이다. 인종이든 성별이든 〈변형된trans〉 몸이든 모든 인간의 눈물은 무색이고 피는 빨간색이다. 이 두 가지 색깔은 몸의 파열, 즉 체액이 밖으로 나올 때 — 울고 피 흘리고 — 에만 가능하다. 인간의 공통된 본질은 슬픔이나 고통으로 몸이 해체되었을 때만 인식 가능한 것이다.

이 책의 제목이 〈세상과 나 사이〉라는 사실은 책을 읽는 내내 생각해야 할 화두다. 내가 세상과 관계 맺는 과정, 자신을 〈세상〉이라고 보편화하는 세력(백인)이 나에게 행사하는 폭력, 나의 외부가 나를 규정하는 방식, 나와 세상 사이의 통로channel에서 만나게 되는 또 다른 세상 등등, 여러 가지를 생각하게 하는 좋은 제목이다. 〈세상〉과 〈나〉 사이에 무엇이 있다고 생각하기 쉽지만 그렇지 않다. 〈세상과 나 사이〉에 존재하는 것이 있다면 그것은 관계성이다. 관계성은 중간에 있는 법이 없다. 세상은(그리고 실제로 지구는) 기울어져 있고, 나는 언제나 내 위치를 바꿀 수 있다. 그 변화는 현재의 자기 위치를 인식하고 유동의 가능성을 상상하는 순간부터 시작된다. 그런 점에서 이 책은 모든 인간의 이야기이다.

2016년 8월
정희진, 『페미니즘의 도전』의 저자

옮긴이의 말

미국에서 경찰의 흑인 살해와 그에 따른 항의 시위에 관한 보도가 다시금 들려온다. 이번에는 흑인들의 경찰 저격 사건까지 더해져 매우 심각해 보인다. 이런 일이 해마다 숱하게 반복되고, 흑인이 대통령이 된 후에 줄어들기는커녕 오히려 늘어났다니, 왜 그런 걸까? 미국 경찰 — 백인들만은 아닌 — 과 흑인들의 갈등이 인종차별 문제의 극단적인 표현이 된 것은 흑인을 겨냥한 그들의 폭력성 때문일 것이다. 그런데 특별히 폭력적 성향을 가진 사람을 경찰로 뽑은 게 아니라면, 그 폭력성은 어디서 오는 걸까? 경찰이 유독 차별을 심하게 하는 걸까? 입장을 바꿔서, 피부색 하나만으로 잠재적 범죄자 취급을 당하고 아무런 맥락 없이 죽음의 위협에 노출된다면 그 삶은 어떠할까? 그런 소식을 들으면서 이런 의문이 든다면, 이 책이 생각을 위한 길잡이가 되어 줄 것 같다.

이 책은 미국의 저널리스트인 타네하시 코츠Ta-Nehisi Coates가 두 번째로 낸 책이다. 코츠의 이름 Ta-Nehisi는 〈타네히시〉가 아니라 〈타네하시〉라고 읽는다고 한다. 블랙 팬서 당원으로서 블랙 파워 운동에 가담했던 그의 아버지가 지어 준 이 이름은 고대 이집트인들이 신들의 땅이라 부르던 누비아를 뜻하는 말이다. 코츠는 회상록인 첫 번째 책 『아름다운 투쟁The Beautiful Struggle』(2008)에서 그에게 큰 영향을 준 아버지 얘기를 주로 썼다. 이 첫 작품은 널리 읽히지는 않았지만, 코츠는 한 비평가로부터 〈힙합 세대의 제임스 조이스〉라는 찬사를 받았다. 그의 두 번째 책인 『세상과 나 사이』는 2015년 발간되어 미국에서 대단한 반향을 일으켰고, 전미도서상을 비롯해 많은 상을 받았다. 노벨 문학상 수상 작가이자 미국 흑인 문학의 대모로 불리는 토니 모리슨은 이 책을 읽고, 제임스 볼드윈의 계보를 이을 작가라고 코츠를 칭찬했다. 우리나라에서는 오바마 대통령이 여름휴가에 챙겨 간 책으로 알려진 바 있다.

코츠는 문예평론지 『애틀랜틱The Atlantic』에서 주로 미국 내 흑인과 관련된 사회·문화·정치 문제를 다룬 글을 써왔으며, 여러 신문과 잡지에 글을 기고하고 블로그를 운영하는 등 활발한 언론 활동을 해왔다. 『세상과 나 사이』는 아버지가 열다섯 살 아들에게 쓰는 편지 형식으로 되어 있는데, 제임스 볼드윈이 1960년대 초에 미국의 흑인 문제를 고찰하며 썼던 에세이 『다음번엔 불*The Fire Next Time*』에서 열네 살 조카에게 쓰는 편지 형식을 따온 것이라고 한다 (우연히도 볼드윈이 그 책을 쓸 때의 나이와 코츠가 이 책을 쓸 때의 나이는 39세로 같았다). 코츠의 말에 따르면 원래 그는 두 번째 책으로 남북 전쟁에 관한 에세이집을 구상하고 있었다고 한다. 그러다가 흑인 소년 마이클 브라운이 경찰에 의해 사망하는 사건이 벌어졌고, 가해자가 기소되지 않는다는 소식을 접한 아들이 충격을 받는 모습을 지켜보게 된다. 이때 코츠는 자신의 기억을 되살리며 아들에게 들려줄 글을 쓰기로 결심했다. 그는 미국에서 흑인의 몸으로 살아가는 게 어떤 의미인지 몸으로 느껴왔던 두려움을 이야기하면서, 그 두려움을 만들고 조장해 온 미국의 역사를 들려준다. 그에게 미국 경찰은 미국의 그런 의지와 두려움을 고스란히 반영하고 있는 존재다. 아울러 그는 흑인이라는 이유로 평생 지속되는 두려움 속에서 살아야 하는 나라는 어떤 나라인지 묻고 있다.

이 책에서 가장 크게 두드러지는 건 실존적인 두려움, 불안이다. 그 불안은 〈몸〉과 직접적으로 연결되어 있다. 코츠는 부모님의 영향을 받아 무신론자로 자랐기 때문에 내세를 믿지 않는다. 내세의 영광을 위한 현세의 고난을 믿지 않는다. 그에게 몸은 영혼이고 정신이고 전부이지만 미국에서 흑인의 몸은 너무도 쉽게 파괴될 수 있다는 걸 경험으로 알고 있다. 코츠의 과거에서 일상을 지배한 것은 그런 두려움이었다.

이런 불안의 근원은 미국의 인종주의다. 인종주의는 아메리카 식민지 대농장주들이 흑인 노예의 노동력을 효과적으로 관리하기 위해 만들어 낸 것이었다. 백인 노예나 백인 하층민이 흑인 노예들과 세력을 합쳐 반항할까 봐 두려웠던 식민지의 백인 기득권층은 백인 하층민에게 특혜를 주면서 흑인을 차별하는 제도와 관습을 만들었다. 미국이라는 국가가 탄생하기 이전부터 생겨난 인종주의는 미국의 원죄와도 같은 노예제와 결합되어 오랜 세월 고착화되고 재생산되면서 코츠의 말처럼 미국의 〈유산〉으로 전해 내려왔다. 그리고 오랜 시간 지속되었던 차별은 오늘날 여러 제도적 개선에도 불구하고 흑인들에 대한 직간접적인 폭력을 통해 여전히 횡행하고 있다. 이 책에서 인종주의라는 말이 자주 등장하지는 않지만, 흑인으로 살아온 작가의 삶과 매우 현실적이고 실존적인 불안 밑에는 인종주의가 깔려 있다.

이 책에서 코츠는 자신이 백인이라 생각하는 사람들 — 백인은 물론, 백인처럼 살 수 있다고 생각하는 사람들 —

의 〈꿈〉을 이야기한다. 어릴 적 그가 알고 있었던 그들의 꿈은 중산층 백인들의 주거지인 교외의 삶이었다. 백인들만의 교외 주거지 형성은 1940년대부터 시작되어 2차 세계대전이 끝난 1950년대와 1960년대에 본격화되었다. 일자리를 찾아서, 차별을 피해서 흑인들이 북부 도시 지역으로 집중되고, 이민자의 유입으로 유색 인종이 도시에 몰리게 되자, 인종적으로 혼합된 도시 생활을 꺼린 백인들이 인종적으로 보다 균일한 교외와 준교외 주거지를 형성하며 대거 이동한 것이 이른바 〈화이트 플라이트White Flight〉였다.

연방 정부는 주요 도시의 도심 지역과 교외 지역을 이어주는 간선 도로망을 대규모로 건설하는 한편 백인들에게는 담보 대출을 지원해 주면서까지 교외 지역으로의 이주를 장려했고, 거꾸로 시내 아파트 임대는 지원하지 않음으로써 자연스러운 인구 유출을 거들었다. 부동산 업자와 집 소유주는 백인에게만 집을 팔 수 있다는 조항을 계약서에 넣어 아무리 돈이 많은 흑인이라도 집을 살 수 없도록 했다. 미국 대법원 역시 백인 건물 소유주가 흑인에게 집 팔기를 거부하는 행위를 합헌이라고 판결했다. 아울러 금융 기관과 서비스 사업자들은 도시 내의 낙후되고 범죄가 빈번한 게토 지역에서는 큰 이익을 볼 수 없다며 흑인들이 밀

집된 도시 구역들을 특정 경계 지구로 정해 빨간 줄을 그었고, 이와 같은 레드라이닝redlining을 통해 흑인에 대한 대출을 거부하거나 제한했다. 은행, 보험, 기타 편의 시설까지 서비스가 제한되면서 도시에 남아 있던 백인 인구까지 범죄의 위협과 생활의 불편을 피해 교외로 이주하게 되었다.

백인들의 교외 유출로 도시에서 거둬들이는 세금이 줄어들자 도시 재정이 어려워져 흑인 주민의 삶을 지원할 수 없었다. 또한 20세기 후반기의 산업 재편으로 인한 제조업 쇠퇴와 사업장의 교외 이전은 도시 내부의 불황을 불러왔다. 경제 침체로 도시의 주거 환경은 더욱 악화되었다. 도시에 남은 흑인들은 중남미계 이민자들에게 일자리를 뺏기고, 실직과 저임금으로 생활이 어려워지면서 최하층 계급이 되었다. 흑백으로 나뉘었던 주거 환경은 계급적으로도 첨예하게 구분되었다. 그런 와중에도 한편에서는 1968년 공정주택법을 통해 주거 차별이 정책적으로 완화되기 시작했는데, 이번에는 경제적 능력이 있는 흑인 중산층이 도시를 떠나기 시작했다. 이렇게 게토를 떠난 흑인들은 게토 거주 흑인들과 거리를 두기 시작했고, 그렇게 게토에 남은 흑인들은 하층민으로 전락하여 백인은 물론 흑인 중산층으로부터도 문화적·물리적으로 완전히 고립되었다. 이런 사회 변화 과정이 다른 나라들의 경우처럼 어느 정도는 자연스럽게 이루어진 측면도 있겠지만 제도적으로 방조 또는 조장되었던 측면도 분명 있어 보인다.

이 지면에 조잡한 사회학 노트를 곁들인 이유는, 오늘날 미국 흑인들이 받는 차별에 대해 문화적·관습적 차별과는 별개로 제도적·구조적 차별을 주목해 보는 시간을 가져 보면 어떨까 하는 바람에서다. 적어도 내가 알고 있던 미국은 백인들의 미국이었기에, 오늘날 미국 내 흑인의 삶의 조건과 그 배경을 대강이라도 훑어보지 않고서는 코츠가 이야기하는 두려움과 불안, 그가 사용하는 은유를 제대로 이해하기 힘들 것 같았다(코츠가 좋아했던 힙합을 잘 알았더라면 좋았을 거라는 아쉬움도 많다). 실제로 코츠가 자랐던 노스웨스트볼티모어 역시 첨예하게 분리된 흑인들의 섬 같은 곳이었다. 어릴 때 주변에는 흑인들뿐이었다는 코츠의 이야기에서 흑백의 분리, 두 세계의 거리가 어느 정도였는지 조금은 짐작할 수 있을 것 같다.

1975년생인 코츠는 어린 시절을 웨스트볼티모어에서 살다가 1993년 17세에 하워드 대학교에 입학했다. 하워드 시절의 이야기는 새로운 발견과 정체성 찾기의 과정으로 이 책에서 가장 행복하게 묘사된 부분이다. 그는 대학을 졸업하지 않은 스물네 살 때 아내 케냐타와의 사이에서 아들 사모리를 얻었고, 그의 가족은 뉴욕 브루클린으로 이사했다. 그러나 일을 구하지 못한 그는 아내의 벌이로 생활하면서 한동안 어린 아들의 양육을 도맡았다. 2000년 9월 1일에 있었던 하워드 동창생 프린스 존스의 사망은 코츠에게 큰 충격을 안겨 주었다. 미국 사회가 흑인에게 요구하는 모든 것을 몇 배 이상으로 다 해냈던 모범적인 친구의 죽음은 그를 깊은 상실감과 절망에 빠뜨렸고, 미국을 뒤흔든 9·11 테러에 대해서조차 냉정한 시선으로 보게 만든다. 코츠는 존스의 죽음을 계기로 흑인과 경찰의 관계에 관한 기사를 비롯해 여러 편의 심층 기사를 쓰기도 했다. 존스를 지켜 주지 못했다는 미안함, 아들을 지켜 주지 못할 것 같은 두려움, 궁극적으로 자신도 지킬 수 없다는 불안을 그는 거듭 떨치지 못한다. 그러면서도 긍정적으로, 아니 역설적으로, 그는 흑인이라서 특혜를 받았다고 생각한다. 그 존재적 불안으로 인해 꿈에 현혹되지 않고 진실을 똑바로 바라봄으로써, 삶의 의미에 더 깊숙이 가까이 다가설 수 있다고 이해한 것이다.

마흔을 맞는 흑인 아버지가 열다섯 살 아들에게 쓰는 이 편지글에는 미국의 인종 문제와 그 역사가 실존적 불안을 안고 살아온 한 개인의 경험을 통해 솔직하게 묘사되어 있다. 이 글이 그들만의 역사에 그치지 않고 보편성을 가질 수 있는 것은 억압과 약탈의 역사를 살아온 이의 개인적인 내밀함이 생생하기 때문이다. 또한 엄격한 자기 심문, 끊임없이 의심하고 질문하며 자신에게도 예외를 두지 않는 그의 태도는 편지 형식의 역사를 뛰어 넘어 이 글에 지성의 품격을 부여한다. 비록 그들만큼 전면적이지는 않을지라도 특정 집단을 규정하고 약탈하고 짓밟고, 따라서 불안이 지배하던 역사는 우리에게도 여러 번 있었다. 평범한 시민들이 하루아침에 공권력의 적이 되고, 부당한 일들이 특권인 양 저질러지는 경우도 많다. 나의 권리를 주장하며 다른 이들의 권리를 빼앗기도 하고, 다른 사람이 정해 놓은, 어쩌면 또 다른 이들을 밟고서야 이루어질 〈꿈〉을 꿈꾸기도 한다. 어쩔 수 없는 존재의 굴레와 그 한계가 주는 절망감은 〈흙수저〉라는 말이 유행하는 우리 사회에서도 절대 이질적인 감정이 아니다.

길지 않은 분량이지만 굉장히 묵직하게 느껴지는 이 책에서 코츠는 다 괜찮을 거라고, 좋아질 거라고 아들을 위로하지 않는다. 투쟁하면 얻을 수 있다고 격려하지도 않으며, 대신 그들만의 노력으로는 불가능하다고 냉정하게 말한다. 그는 말한다. 〈꿈〉을 좇지 말고 깨어 있으라고, 누구의 기준에 맞춘 삶이 아닌 흑인으로서 자신의 삶을 살아 내라고. 평소에도 글을 통해 그런 관점을 드러냈던 코츠에게 2013년 오바마 대통령은 코츠와의 면담 끝에 절망하지 말라고 말했다. 이 책에 대해서도 출간 후에 지나치게 비관적이라는 비판을 받았다. 코츠는 한 인터뷰에서 이렇게 대답했다. 〈나는 작가다. 희망적이어야 할 책임은 전혀 없다. 이것이 바로 문학이다.〉

2016년 8월
오숙은

옮긴이 **오숙은** 서울대학교 노어노문학과를 졸업하고, 한국브리
태니커회사 편집실에서 일했다. 현재 번역가로 활동하고 있으며,
옮긴 책으로 솔로몬 노섭의 『노예 12년』, 아이웨이웨이의 『아이
웨이웨이 블로그』, 대프니 셸드릭의 『아프리칸 러브 스토리』, 도
널드 서순의 『유럽 문화사』(공역), 움베르토 에코의 『추의 역사』,
『궁극의 리스트』, 『전설의 땅 이야기』, 로버트 그루딘의 『당신의
시간을 위한 철학』, 제시 베링의 『PERV, 조금 다른 섹스의 모든
것』 등이 있다.

세상과 나 사이 흑인 아버지가 아들에게 보내는 편지

발행일	2016년 9월 5일 초판 1쇄
	2022년 2월 25일 초판 5쇄

지은이	타네하시 코츠
옮긴이	오숙은
발행인	홍예빈 · 홍유진
발행처	주식회사 열린책들

경기도 파주시 문발로 253 파주출판도시
전화 031-955-4000 팩스 031-955-4004
www.openbooks.co.kr

Copyright (C) 주식회사 열린책들, 2016, *Printed in Korea.*
ISBN 978-89-329-1778-8 03300

이 도서의 국립중앙도서관 출판예정도서목록(CIP)은 서지정보유통지원시스템 홈페이지(http://seoji.nl.go.kr)와
국가자료공동목록시스템(http://www.nl.go.kr/kolisnet)에서 이용하실 수 있습니다.(CIP제어번호:CIP2016020665)